LIEFDE IS FYSICA

CHERYL BENARD &
EDIT SCHLAFFER

LIEFDE IS FYSICA

Waarom zelfbewuste vrouwen
een betere relatie hebben

lannoo

Vertaling: Hans en Marijke van Riemsdijk

Met dank aan Paul Maenhout, leraar fysica aan het Sint-Lodewijks-
college Brugge en Hans (J.C.J.M.) van der Horst, leraar fysica aan
het Stedelijk Gymnasium van 's Hertogenbosch, voor het nalezen
van de natuurkundige passages.

www.lannoo.com
Oorspronkelijke titel: Die Physik der Liebe
Oorspronkelijke uitgever: Kösel Verlag, München
Vormgeving Citroen *Citroen*
© Uitgeverij Lannoo nv, Tielt, 2002
D/2002/45/213 – ISBN 90 209 4825 3 – NUR 740

Inhoud

Voorwoord:
Van chaostheorie tot warmte-uitwisseling

Vrouwen en mannen. Het vrouwelijke en mannelijke beginsel. Eigenlijk is het heel duidelijk dat het hierbij gaat om het basisbeginsel van het materiële bestaan, waarop ook het principe van de symmetrie aansluit. Hele filosofische, godsdienstige en wetenschappelijke denksystemen uit de grote culturen gaan uit van die polariteit. Het harmonische spanningsveld tussen de mannelijke aarde en de vrouwelijke hemel ordende de kosmos van de oude Egyptenaren, terwijl het faraohuwelijk van een liefdevol, elkaar toegewijd paar het zinnenbeeld van politieke en maatschappelijke stabiliteit was. Yin en yang verdeelt de materiële en immateriële oosterse wereld in vrouwelijke en mannelijke energievormen.

En daarmee zijn wij meteen bij de kern van de zaak beland. Strikt genomen is het hele drama van de relaties tussen de mensen en de seksen uiteindelijk tot dat ene centrale begrip terug te voeren: energie.

Je steekt razend veel energie en aandacht in je relatie en het frustreert je enorm dat de tegenpartij niets gelijkwaardigs teruggeeft. Dit is duidelijk een voorbeeld van onevenwichtig energieverbruik. En is de dubbele, steeds weer dezelfde taak van werkende vrouwen ook niet een kwestie van energie? Wat zoek je in de armen van je echte of gedroomde minnaar? Ontspanning en opwinding – ook weer verschillende facetten van energie.

Energie. Het begrip doet vermoeden dat we op het verkeerde spoor zitten als we de al eeuwen driftig bediscussieerde vraag naar de relatie tussen de seksen willen beantwoorden met behulp van de poëzie, de psychologie of door persoonlijk gepieker. Energie is immers een natuurwetenschappelijk fenomeen. Als vrouwen echt antwoord willen op hun voornaamste levensvragen, dan moeten ze het wollige en pluizige domein van de psychologie en sociologie laten voor wat het is en zich richten op andere wetenschappen. In een handboek terzake staat dan ook: *Zonder kennis van de moderne kernfysica en kwantummechanica zijn veel onderzoeksterreinen [...] en belangrijke filosofische vragen [...] niet te beantwoorden.* Zo is het!

En heus, paniek is nergens voor nodig. Fysica droge kost? Ingewikkeld? Helemaal niet! Wij zijn moderne vrouwen die leven in een modern, wetenschappelijk tijdperk. Je zult zien dat de logische inzichten van de natuurkunde niet alleen verheffend zijn, maar dat ze ook veel sneller en gemakkelijker een verhelderend licht doen schijnen op je persoonlijke situatie. Heel wat sneller en gemakkelijker dan dat gesprek dat je laatst had met die vriendin! Als vriendinnen uitvoerig met je ingaan op de vraag waarom je partner nu weer X heeft gedaan en gezegd, wat hij daar *waarschijnlijk* mee bedoelde, hoe je je daarom moet voelen en hoe je hem er ooit nog toe krijgt eindelijk eens Y te zeggen of te doen... Wel, neem dan maar van ons aan dat dat gesprek een stuk duisterder is dan de fysica ooit zal zijn. En bij lange na niet zo verhelderend. Vergeet Freud! Als we liefdesverdriet hebben, zijn we met Galilei stukken beter af.

Je zult je in de fysica snel thuis voelen omdat de verbanden tussen de natuurkunde en ons dagelijks leven zo voor de hand liggen. Neem nu het begrip van de 'zware, trage massa', die alleen met 'inzet van grote kracht in gang kan worden gezet'. Welke vrouw herkent in zo een beschrijving niet meteen haar gezin op een willekeurige werkdag om zeven uur 's ochtends?

Denk eens aan je leven als werkende vrouw en moeder, aan je klaagzang over al die dingen die je concentratie verstoren en je hoofd maken tot een archiefkast met duizend afspraken, zorgen en verplichtingen. Je partner noemt dat overdreven gemopper, maar de fysica begrijpt wat je bedoelt: 'Het afleiden van golven door kleine obstakels noemt men verstrooiing.' Precies! Hoe moet de golf van je levensenergie ooit volle kracht en omvang bereiken, als die voortdurend wordt gehinderd door kleine obstakels en zo alle impuls verliest?

Maar de fysica biedt ons niet alleen nuchtere inzichten, ze heeft ook een heel poëtische kant. 'Een gezond hart heeft geen steevast ritme, maar heeft behoefte aan een zekere dosis chaos'. Zulke inzichten doen een mens goed en zijn nog literair ook. Trouwens, de hele chaostheorie is vrouwen op het lijf geschreven.

En dan is de fysica nog eens heel filosofisch ook. 'Voor bewegingen is het niet zozeer van belang welke plaatsen worden bereikt, maar veeleer welke trajecten worden afgelegd.' Als dat geen Tao is: de weg is het doel! Maar verreweg de waardevolste bijdrage die de natuurkunde kan betekenen voor het leven van vrouwen, is wel dat ze richting kan geven: een logische, zinnige richting voor het leven en het samenleven. Niet een richting die je samen met je vriendinnen en god-weet-wat-voor-wijze raad en persoonlijke beschouwingen in elkaar hebt geknutseld, maar een richting die uitgaat van feiten en die een onweerlegbaar verloop kent. Geen verwijten, veronderstellingen of twijfel meer aan jezelf: voortaan moeten we aandacht hebben voor oorzakelijke verbanden en ons gedrag dáárdoor laten sturen.

1. Gelukkiger met natuurkunde

Het was een sombere zaterdagmiddag, zo grauw en klam als in november, hoewel het bijna lente was. We hadden maandenlang interviews afgenomen en reken maar dat die ontmoetingen op iemands gemoed kunnen werken. Niet omdat de verhalen van onze mannelijke en vrouwelijke gesprekspartners zo tragisch waren, niet omdat we zo veel trieste mensen hadden ontmoet die waren geveld door de tegenslagen van het onverbiddelijke noodlot. Integendeel, wij hadden met doodgewone mensen te maken gehad, mensen in goeden doen, bewuste mensen, met keurige beroepen, met vrienden en gezinnen en met een heel normaal, op het eerste gezicht zelfs succesvol leven. Deprimerend was eerder de grauwsluier van teleurstelling die over hun relaas hing, de droefheid van een bijna bereikt, maar op het laatst toch misgelopen geluk.

Echtelieden die elkaar vroeger beminden, elkaar verafgoodden en elkaar fantastisch vonden, smeten elkaar nu alleen nog verwijten naar het hoofd en beschouwden hun relatie als één grote bron van frustraties. Vrouwen die vroeger barstten van talent en levensvreugde, maakten verzuurd de staat op van hun leven: geen van de beloften was ingelost, al hadden ze op zeker moment allemaal terecht en realiseerbaar geleken. Slimme, ambitieuze, jonge vrouwen beschreven de logische en intelligente plannen voor een traject dat ze voor zichzelf hadden uitgestippeld. En deden dan onverwachts, impulsief het onheil voorspellende tegenovergestelde. Radeloze mannen van goede wil zaten tegenover ons en begrepen niet waarom hun gezinsleden hen nu opeens haatten, waarom hun vrouwen zij hun kapotte, onleefbare leven verweten. Jonge stellen die vroeger verlangden naar een kindje, konden – toen het er eindelijk was – alleen nog maar ruziemaken of met moeite hun wederzijdse woede en ergernis verbijten.

Wij ontmoetten mensen die liefde zochten, maar niet vonden; mensen die dachten liefde te hebben gevonden om uiteindelijk verbitterd vast te stellen dat ze zich hadden vergist; mensen die hulpeloos moesten constateren dat hun vurige verlangens en gevoelens waren omgeslagen in triviaal geruzie en vervreemding van elkaar. De hele pathetiek van het samenleven – de teleurstellingen, fouten, radeloosheid van al die mannen en vrouwen die samen gelukkig wilden zijn, maar daar niet in slaagden – maakte deze toch al troosteloze middag extra somber.

Op dat moment viel onze zwaarmoedige blik op een handboek Natuurkunde dat een scholier had laten slingeren. Als een straaltje zon lachte de cover ons geel en oranje tegemoet.

Wij sloegen het boek open en bladerden het bij wijze van afleiding vluchtig door. Van de natuurkundelessen uit onze jeugd herinnerden we ons alleen nog flauwtjes een practicum waar het gek rook. Nu lag dit boek voor ons en viel ons de ordelijke tekst op: alles was zakelijk en netjes gestructureerd geformuleerd en de belangrijkste passages stonden in een geel kadertje. Eerst namen we de inhoudsopgave door: letterlijk álles stond erin. De hele kosmos werd daar even ontraadseld en verklaard! Wat ingewikkeld misschien, maar oneindig bemoedigend dankzij de bemoedigende wetmatigheid van zijn componenten.

Nog voor we enige moeite hadden gedaan om er iets van te begrijpen, raakten we gefascineerd door de aanpak. Pijltjes gaven heel gedisciplineerd, ordelijk en ondubbelzinnig de richting van de natuurkundige bewegingen aan. Wetmatigheden werden meteen gevolgd door vergelijkingen die het voorafgaande duidelijk onderbouwden (al hadden wij er geen flauw idee van wat het allemaal betekende).

Het ging om golven en banen en opeenvolgingen, die alleen zó en niet anders konden verlopen, en die zich vlot lieten vertalen in grafische voorstellingen. Dit boek was een ware openbaring. Hoe behaaglijk, hoe aangenaam was deze aanwinst in vergelijking met de chaos van het menselijke samenleven die de laatste maanden aan ons was voorbijgetrokken! Hier en daar viel ons tussen de afbeelding van een wervelstroomrem en de voorstelling van een satellietbaan, een zin op – soms niet meer dan een stukje ervan – die zelfs volledig zonder context toch buitengewoon relevant en wijs was.

> Uurwerken die vóór lopen bewegen relatief sneller en lopen daardoor achter.

Een zin van literaire schoonheid, die ons ook onmiddellijk deed denken aan de vele mannen die wij de laatste weken hadden leren kennen. Deze mannen beschreven zichzelf als workaholics en hadden in naam van de welstand van het gezin vrijwel elk raakpunt met hun gezin verloren. Lang geplande familievakanties, een kind op de eerste hulp, plotseling doodzieke vrouwen, een jarenlange kinderwens die eindelijk beloond werd met een zwangerschap – geen enkele cruciale of drastische gebeurtenis in hun privé-leven bood nog enig tegengewicht aan de gewone werkdag die deze mannen volkomen had uitgeput. Ze beschreven een onrustig gevoel van opgejaagdheid, van een versneld psychisch tempo dat hen niet meer losliet, ook al kwam hun eigen gedrag hen ongerijmd voor. Konden ze eigenlijk nog wel productief en creatief zijn met deze hysterisch opgeblazen, machinale arbeidsethiek die hen in haar greep had?

Ze waren dynamisch, energiek en snel, maar 'gingen' ze, juist omdat het tegenwicht ontbrak in hun manier van leven, door die 'versnelling' niet langzamer vooruit dan mensen met een minder hectisch ritme?

Dan weer viel ons oog op een passage als: 'Een eenvoudig systeem met een chaotische handelwijze […]. 'Er is geen sociologisch handboek dat het huwelijk zo perfect beschrijft! Een eenvoudig systeem, dat klopt: een man, een vrouw. Ze zijn heteroseksueel tot elkaar aangetrokken, maar hangen ook aan elkaar omdat dat biologisch en emotioneel zo is georganiseerd. En je weet zelf wel hoeveel chaos deze twee personen zo nu en dan kunnen produceren!

'Wat is de mens?' vroegen wij ons op deze mistroostige lentedag af.

Energie en materie. En het daagde ons dat wij allemaal, wij sociale hervormsters van de 20ste eeuw, ons hebben laten afleiden door symptomen en toevalligheden, terwijl we onze aandacht beter op de natuurkundige principes hadden gericht.

Veel meisjes vervelen zich in de natuurkundeles; maar weinig jonge vrouwen kiezen voor deze studierichting. Dat ligt echter niet aan de natuurkunde zelf, wel aan de voorbeelden en toepassingen die samenstellers van schoolboeken en leraren ter illustratie van de natuurkundige principes graag kiezen. Raketmotoren, vingerkloven, hoogfrequentie-oscillatoren, potentieel slingerverloop, deeltjesversnellers, fasediagrammen.

Allemaal achtenswaardige dingen, daar niet van, en op hun manier vast razend boeiend. Maar natuurkundige principes zijn nog op heel andere, onverwachte manieren toe te passen. Met een beetje goede wil helpt de fysica het aantal scheidingen te beperken, de menselijke relatie radicaal te verbeteren en de vrouw haar verdiende plaats in de samenleving te geven.

De natuurkunde verklaart het verloop van dingen. Ze houdt zich niet bezig met wil of voornemen, ze uit geen verwijten, protesteert niet, is niet voortdurend met sentimentele dromen bezig. De fysica laat ons zien hoe de wereld functioneert en daar hebben we uiteindelijk veel meer aan. *Indien* een bepaald effect moet worden bewerkstelligd, *dan* moet aan deze en gene voorwaarden zijn voldaan. *Als* een bepaalde kracht op een andere kracht botst, *dan* gebeurt dát. Zo simpel is het.

De natuurkunde leent zich bijzonder goed om het samenleven van vrouwen en mannen te analyseren. Het uitpluizen van wat er zich tussen vrouwen en mannen afspeelt, is tot dusverre ten onrechte aan de letterkunde en de sociale wetenschappen overgelaten. Toch gaat het hier om natuurkundige krachten. Het gaat om verschillende energievormen die elkaar aantrekken en afstoten.

En over verschillende energievormen gesproken: we weten al lang dat het heel gevaarlijk kan zijn, niet te weten hoe ze werken (en dus ook niet hoe je ermee moet omgaan). Waterenergie, kernenergie, fossiele brandstoffen, al deze energievormen hebben hun eigen wetmatigheden, risico's en kostenplaatje, en ze vereisen de nodige voorzorgsmaatregelen. Hetzelfde geldt voor de intermenselijke energie. Toch leveren we geen serieuze inspanning om de bestaande regels en omstandigheden echt te leren kennen. Energie gaat verloren, destructieve krachten komen vrij, hulpbronnen worden verspild. En bedrieglijke dromen slopen de kracht van onze hartstocht.

Neem nu de liefde. Wie droomt er niet van ooit echte, ware liefde te vinden? Maar onder invloed van de gangbare stereotypen dromen wij van overgave, wederzijdse versmelting, totaal onderling begrip, verlossende eenwording.

De fysica bekijkt de situatie nuchterder. Wie zich wat meer met natuurkunde heeft beziggehouden, gaat rennen voor zijn leven als dit zojuist beschreven gevoel zich van hem meester maakt:

> Bij gelijke amplitude van overlappende golfbewegingen die in tegenfase zijn, ontstaat volledige opheffing.

Liefde is fysica

Volledige opheffing! In 's hemelsnaam, lieve mensen, dát willen we toch niet?! Als we in gedachten verzonken in onze kamer zitten en ons overgeven aan ons romantische verlangen, is het ten zeerste aangeraden niet van liefde, maar eerder van interferentie te dromen.

Interferentie, kijk, dat is nog eens een goed thema voor dichters en songwriters! Want we hebben het dan over een liederlijk doel waaraan we terecht opgewonden dagboekmijmeringen kunnen wijden:

> Twee golfkringen kunnen zich uitbreiden, elkaar gedeeltelijk overlappen en door elkaar heen dringen, zonder elkaar daarbij te verstoren. Na hun treffen planten de golven zich onverstoord weer voort. De onverstoorde overlapping van meerdere golven op dezelfde plaats noemt men interferentie.

Maar ook onze gewone dag krijgt meer zin als we deze door de zakelijke bril van de fysica bekijken:

Ligt je bureau altijd vol rommel, loop je weer achter met je correspondentie, staat het huis op zijn kop? Je hebt jezelf niets te verwijten. Noem jezelf geen sloddervos of je omgeving een chaos. Hét begrip om dan te gebruiken is 'fractaal'.

> Fractale structuren hebben een eigen esthetische charme, die steunt op de in hen aanwezige mengeling van orde en wanorde.

Zo is het. Bekommer je dus niet om de kritiek van je schoonmoeder die plotseling onaangekondigd op de stoep staat, maar richt je liever op de empathische, vergevingsgezinde fysica: 'Leuk hè, zo fractaal als mijn keuken er vandaag weer uitziet!'

De natuurkunde beoordeelt je gedrag en persoonlijkheid op een al even voorkómende manier. Voel je je soms ontzettend futloos, afgepeigerd en opgeslorpt door je gezin, terwijl je toch zielsveel van hen houdt en je je een leven zonder hen niet kunt voorstellen? Dat is heel normaal. Tenslotte:

> ...verzwakt elke vrije golfbeweging omdat ze energie aan de omgeving afgeeft.

Hoe meer wij ons met deze denkwijze bezighouden, des te vertrouwder en nuttiger komt die ons voor.

Je zult ongetwijfeld snel ontdekken dat je in je leven al een heleboel fundamentele natuurkundige principes hebt geleerd. Wat dacht je bijvoorbeeld van deze:

> Als een lichaam geen resulterende kracht ondervindt, blijft het in rust of blijft het eenparig rechtlijnig bewegen.

Met permissie, daarvoor hadden wij geen Galilei nodig! Elke vrouw die ooit de hoop koesterde dat een man uit eigen beweging een huwelijksaanzoek zou doen, zijn minnares zou laten vallen of gewoon vrijwillig een handje zou toesteken in het huishouden, heeft dit al lang vastgesteld. Daarom kan men het mannelijke lichaam niet aan zijn lot overlaten. Het moet door externe invloeden – scènes, dreigementen, discussies – gedwongen worden zijn vertrouwde parcours te verlaten en eindelijk te doen wat men wil dat het doet.

Maar, alles op zijn tijd. Het totstandkomen van intermenselijke relaties is uitstekend te verklaren met natuurkundige stellingen. Het begint al met de fundamentele oerervaring, het gevoel van aantrekkingskracht tussen twee mensen.

We zitten in een ruimte vol mannen en vrouwen, maar uitgerekend die twee mensen voelen zich tot elkaar aangetrokken – een bewogen moment in een liefdesepos, maar ook in de fysica. Die twee kennen elkaar nog niet en toch bestaat er tussen hen al een ondefinieerbare, maar niet te loochenen kracht met een meetbaar effect: ze raken opgewonden door de aanwezigheid van de ander, voelen dat hun gedachten naar die ander uitgaan, zelfs als hij/zij er niet is... Het mysterie van de liefde? Nou, in elk geval een duidelijk geval van aantrekkingskracht.

Liefde is fysica

> Aantrekkingskracht beschrijft een wisselwerking tussen lichamen die niet materieel met elkaar zijn verbonden.

Nu hangt het er wel even van af of die aantrekkingskracht wederzijds is of van één kant komt. Bij wederzijdse kracht kan er een materiële verbinding ontstaan. De fysica noemt de beestjes bij hun naam en beschrijft deze verbinding daarom in niet al te poëtische bewoordingen, maar ongetwijfeld heel accuraat, als 'botsing'.

> Een botsing is centraal als de tegen elkaar stotende lichamen met hun zwaartepunten op dezelfde rechte lijn bewegen.

Maar nu kan het op verschillende manieren verder omdat:

> Een botsing is elastisch als beide partners na de botsing weer uiteenwijken. Een botsing is 100% onelastisch als de lichamen na het treffen met elkaar verbonden blijven.

En hier maken veel vrouwen ook nu nog twee fikse denkfouten.
Ten eerste klampen ze zich met hun hele wezen aan hun nieuwe partner vast, terwijl ze zouden moeten beseffen dat een elastische verbinding ook voor hen veel beter is dan het inert aan elkaar vastgeplakt zijn. 'Hoe plakkeriger en steviger, des te zekerder en beter!' luidt hun gevaarlijke motto.
Ten tweede verwachten zij, als de relatie standhoudt, een fundamentele persoonsverandering bij hun partner. 'Als hij echt van me houdt, zal hij dit en dat niet meer doen, dan zal hij in dit opzicht veranderen, dan zal hij dat storende gedrag niet meer vertonen' enzovoort. Maar zo werkt het niet, natuurkundig bekeken:

> De som van de impulsen vóór de botsing is gelijk aan de som van de impulsen na de botsing. Het principe van het impulsbehoud is voor de fysica van fundamenteel belang.

Deze stelling is ook van fundamenteel belang voor vrouwen. Dit principe zouden ze nu eindelijk eens ter harte moeten nemen! De man is vóór je hem liefhebt precies dezelfde man die hij ook zal zijn en blijven zodra je hem liefhebt. Hij is en blijft even gierig of genereus, betrouwbaar of onbetrouwbaar, trouw of ontrouw, gezellig of gesloten. Vrouwen die een relatie met een man met storende eigenschappen aangaan in de veronderstelling hem later te kunnen veranderen, slaan de plank mis. Dit is namelijk in strijd met het principe van het impulsbehoud en dat is, zoals hierboven staat vermeld, een fundamenteel principe.

Nee, zoek dan liever een partner die de gewenste eigenschappen al bezit. Met hem kun je een relatie beginnen, waarbij wij, lieve dames, ook maar meteen afstand moeten nemen van het rampzalige, beladen begrip 'relatie'. 'Thermodynamisch systeem' is een betere en toepasselijker term.

En wat gebeurt er in een relatie? Er worden dingen uitgewisseld. Er worden gezamenlijke doelen nagestreefd en voor deze doelen is een partner nodig (conversatie, vrije tijd, seks) of heel bepaald een partner van het andere geslacht (voortplanting), of het arbeidsvermogen (= energie) van een partner (huishouden runnen, gezin organiseren, geld sparen et cetera).

In de relatie die hieruit ontstaat, is sprake van een voortdurende uitwisseling van gevoelens, ideeën, attenties, aanrakingen, prestaties, voorwerpen, adviezen enzovoort. En als we daar iets dieper op ingaan, zien we dat al die dingen zich in twee categorieën laten onderverdelen: in emotionele en in mechanische prestaties. Wij geven zorg en cadeautjes, luisteren geïnteresseerd toe of pakken mee aan.

> De verandering van de inwendige energie van een thermodynamisch systeem is gelijk aan de algebraïsche som van de uitgewisselde warmte-energie en de uitgewisselde mechanische energie.

Uit dit beginsel is meteen af te leiden wat een goede relatie van een slechte relatie onderscheidt, een gelukkig huwelijk van een ongelukkig huwelijk:

de uitwisseling moet kloppen, beide zijden moeten evenveel warmte krijgen en precies evenveel kansen om zelfstandig – mechanisch – te handelen. Dit leidt tot een voor vrouwen wat lastige conclusie: als het fout loopt, zijn beide partijen schuldig. In de fysica bestaan geen slachtoffers, want:

> Krachten tussen lichamen treden nooit alleen, maar altijd paarsgewijs op.

Als er een tiran in huis is, is er ook iemand die zich *laat* tiranniseren. Als er een gewelddadige echtgenoot is, is er ook een vrouw die bij hem blijft. Anders zou hij geen gewelddadige echtgenoot zijn, maar een ex-echtgenoot achter tralies.

En dit kunnen we nog verder doorvoeren: waar milieuvervuiling is, zijn ook politici die een oogje dichtknijpen. Waar corrupte of incompetente politici heersen, zijn burgers die hen hebben verkozen, of als ze hen niet verkozen hebben, hen toch niet tegengehouden.
Deze nuchtere opvatting heeft een verheffende keerzijde:

> Tegenover elke kracht staat altijd een even grote tegengestelde kracht.

Waarom zien veel relaties er dan toch zo extreem ongelijk uit, zijn veel situaties blijkbaar zo unfair, en waarom is het vaak echt moeilijk uit te maken wat de schijnbaar zwakkere zijde tegen de schijnbaar sterkere zijde kan ondernemen?
Het antwoord op deze vragen vinden wij in de volgende driedelige stelling.

> Deel I: De onderlinge krachten tussen de lichamen van een systeem houden zich met betrekking tot dit systeem in evenwicht. Want bij de kracht op een lichaam van het systeem hoort altijd de tegengestelde, even grote wisselwerkingskracht op een ander lichaam van het systeem.

Ben je ongelukkig, word je slecht behandeld, is je onrecht aangedaan? Heb je daarom afstand genomen van dit systeem? Nee? Dan ben je in het vervolg als 'tegenkracht' in dezelfde mate verantwoordelijk voor wat er in dit systeem gebeurt. Je bent passief gebleven, hebt helemaal niets gedaan en voelt je daarom onschuldig, onverantwoordelijk en misbruikt? Een denkfout. Passief blijven is niets anders dan je energie afgeven aan degene die uiteindelijk handelt.

Maar de fysica is fair en democratisch. Ze heeft geen medelijden met het slachtoffer, maar geeft het slachtoffer ook niet de schuld.

Want je weet: het systeem zweeft niet in het luchtledige.

> Tegenover elke kracht staat altijd een even grote tegengestelde kracht.
> Deel II: De beweging van het systeem als geheel wordt door externe krachten bepaald.

Als vrouwen niet mogen studeren, als vrouwen door hun huwelijk de vrije beschikking over hun eigendom verliezen (zoals tot het begin van de 20ste eeuw in Europa gebruikelijk was), dan hebben we het over externe krachten die een onafwendbare invloed uitoefenen op het systeem, op het verloop van het individuele huwelijk of de relatie. De essentie en de macht van die externe krachten verschilt van cultuur tot cultuur en van periode tot periode. Externe krachten zullen Europese vrouwen tegenwoordig nauwelijks uit hun baan kunnen stoten.

Tenzij ze ongelukkigerwijze onder deel III van deze verklarende stelling vallen:

> Deel III: Het resultaat van de externe krachten beïnvloedt de beweging van het zwaartepunt van het systeem, indien men afziet van rotaties en vervormingen van het systeem.

Heb je een goede, gelijkwaardige relatie? Als Europese vrouw heb je vrijwel volledig zelf in de hand op welke basis, hoe en met wie je die energie-uitwisseling onderneemt. Het enige dat je in de weg kan staan, zijn

Liefde is fysica

de 'rotaties en vervormingen'. De domme dingen die je leest of hoort en waardoor je je laat beïnvloeden. De opvattingen van willekeurige mensen die je eigenlijk koud zouden moeten laten. De onzin die je wordt ingefluisterd en die je aanzet tot dwaze impulshandelingen.

In dit boek willen wij dieper ingaan op deze rotaties en vervormingen. Wij willen nagaan welke vermijdbare fouten vrouwen en paren maken en hoe het zwaartepunt van het systeem zich daardoor verplaatst. Wij willen vooral nagaan hoe vrouwen zich door een overdaad aan emotionele prestaties laten beroven van hun levenskracht, want:

> Wat als warmte-energie aan de omgeving wordt afgegeven, moet als verlies van inwendige energie worden beschouwd.

De fysica is een optimistische, creatieve wetenschap, maar geen kwakzalverij. Depressies zijn in de fysica volledig uit den boze; realisme is de boodschap. Heb je foute beslissingen genomen, de foute weg gekozen, je laten gebruiken? Zit je relatie in het slop en heb je veel te veel toegevingen gedaan aan je partner? Het is nooit te laat, je kunt het allemaal nog rechtzetten, zij het met de nodige inspanning:

> Weliswaar is het mogelijk om bij eenrichtingsprocessen de oorspronkelijke toestand te herstellen [...] maar dan alleen door toevoeging van energie.

Dit klinkt misschien wat vermoeiend, maar nu weten we tenminste dat we geen aanleiding hebben om ons bij het onvermijdelijke neer te leggen. En inderdaad zullen we in dit boek vrouwen tegenkomen die het roer 180 graden hebben omgegooid en hun oorspronkelijke richting weer zijn gaan volgen.

Politiek gezien is fysica voor vrouwen en voor progressieve mensen in twee opzichten heel goed nieuws. Op de keper beschouwd is de natuurkunde vrij revolutionair en het is zeker niet verwonderlijk dat conservatieve instellingen zoals de Kerk natuurkundigen desnoods met geweld het zwijgen probeerden op te leggen. Met de onweerlegbare kracht van de logica bewijst de fysica dat *vooruitgang niet is tegen te houden* en dat *gelijkheid de natuurlijke toestand van onze wereldorde is.*

Wanneer de *ups* en vooral de *downs* van de menselijke geschiedenis ons aangrijpen, wanneer wij ons moedeloos afvragen waarom onrecht, vooroordelen en racisme nog altijd bestaan, waarom vrouwen nog altijd moeten strijden voor een gelijke behandeling, dan kunnen we troost en moed putten uit de fysica. Niets minder dan de kracht van de kosmos waarborgt per slot van rekening onze overwinning. Ongelijkheid kan ten langen leste niet blijven bestaan, omdat ongelijke dingen zich steeds meer aan elkaar aanpassen en dat vrijwel altijd in het voordeel van de zwakkeren, de benadeelden. De warmere warmt de koudere op totdat ze even warm zijn; de zwakkere wint aan kracht totdat hij even sterk is. Dat gebeurt niet op slag of stoot, en naar ons gevoel meestal niet snel genoeg, maar het gebéúrt wel.

> Mettertijd wordt in het heelal [...] de spreiding van deeltjes wanordelijker. Alle natuurlijke processen samen verlopen zo dat een toestand wordt bereikt waarin materie en energie zo wanordelijk mogelijk over de beschikbare ruimte zijn verdeeld. Het heelal [...] streeft naar een toestand van meest waarschijnlijke verdeling.

Ben je bang voor een terugval? Kan niet. Ook al lijkt het soms alsof de wind is gedraaid en de zwaarbevochten verworvenheden van het laatste jaar op de tocht staan, toch gaat het hierbij slechts om kleine hindernissen, om onbeduidende verstrooiingen. Je kunt niet achteruit, alleen vooruit. Een proces is onomkeerbaar.

2. Archimedes wordt verliefd

> Een schip drijft omdat volgens het principe van Archimedes de opwaartse kracht van de verplaatste vloeistof gelijk is aan het gewicht van het schip. Zijn stabiliteit ontleent het schip aan de confrontatie van de opwaartse kracht en het eigen gewicht. Als het zwaartepunt boven het stuwpunt ligt omdat het schip te hoog beladen of slecht gebouwd is, dan richt het schip zich bij een grote kanteling niet meer op.

Je vraagt je misschien af wat het samenleven van moderne paren nu precies met een schip te maken heeft. Het antwoord luidt: veel. Een schip drijft als het stabiel is. Het komt scheef te hangen en kapseist misschien wel als het niet stabiel is. En dat geldt ook voor relaties.

Een tankschip dat kapseist en zinkt, biedt een triest schouwspel en in het slechtste geval krijgen we ook nog eens te maken met olievlekken, milieuvervuiling en vogelsterfte. Het ergerlijke is dat het vaak om een menselijke vergissing gaat en het geen onvoorspelbare en onvermijdelijke natuurramp was, maar een dronken of onoplettende bemanning die het ongeluk veroorzaakte.

Het is ook een triest schouwspel als paren de stabiliteit van hun relatie moedwillig op het spel zetten, als ze met ongekende minachting voor de principes van Archimedes dingen doen die hun samenlevingsverband wel uit evenwicht *moeten* brengen. En het biedt zeker geen plezierige aanblik als de vrouw zichzelf en haar relatie gevaarlijk uit balans brengt... Maar oordeel zelf.

Paula is een hoogopgeleide en ambitieuze vrouw. Als klein meisje al koesterde ze de wens in de techniek te gaan. Ze studeert informatica aan een technische universiteit, krijgt een baan bij een middelgrote onderneming en werkt zich daar in acht jaar op. In het bedrijf staat ze goed aangeschreven.

Een man, kinderen, een gezin, ja, dat wil ze wel, al is ze niet echt een huiselijk type. Qua karakter beschrijft ze zichzelf als een kuddedier, als iemand die zich thuis voelt in een grote, dynamische groep en graag met veel mensen op pad is. Ze noemt zichzelf ook een workaholic, iemand die ze 's avonds met geweld van haar bureau moeten jagen. Ach ja, ze knutselt nu eenmaal graag aan oplossingen en verdiept zich enorm in haar projecten. Maar even terug naar die huiselijkheid en dat gezin: eigenlijk kan ze niet zo goed met kinderen omgaan, al zal dat vast wel veranderen als ze zelf kinderen heeft. Dat zeggen de mensen tenminste, als ze openlijk twijfelt aan haar geschiktheid als moeder.

Op een feestje leert ze Markus kennen – een wonder eigenlijk, want Markus verschijnt zelden op feestjes en vermijdt zulke sessies gewoon- lijk. Markus is ook informaticus, maar voor hem zijn er nog meer din- gen in het leven. Hij is eerder een allrounder: hij leest en knutselt graag, kookt goed en houdt van een pittige discussie met goede vrienden.

Als ze elkaar leren kennen, zit Markus een beetje in de put. Na drie jaar is zijn relatie onlangs op de klippen gelopen. Die vriendin op zich mist hij niet zo erg – het zat er al maanden aan te komen en ze konden elkaar gewoon niet meer uitstaan – maar het dochtertje van zijn ex-vriendin. Het meisje was nog een baby toen hij met haar moeder ging samenwo- nen en eigenlijk voelde hij zich een beetje de echte vader van het kind. Kinderen vindt hij sowieso leuk. Het liefst had hij er vier.

Paula en Markus vinden elkaar interessant, zien elkaar steeds vaker, en trouwen ten slotte. De tijd verstrijkt en op het ogenblik van het inter- view is de situatie als volgt:

Paula zit thuis met haar eerste baby, twee maanden oud inmiddels. Haar huidige carrière beperkt zich tot het deskundig ombinden van de draag- doek zodat ze bij het toetsenbord kan om nu eens een paar minuten, dan weer een kwartiertje te programmeren. Markus heeft haar vroegere baan overgenomen. 'Het voordeel daarvan is dat ik zo nog een beetje op de hoogte blijf van hoe het in het bedrijf reilt en zeilt, en dat ik nog over iets anders kan praten dan over vieze luiers.'

Af en toe zit ze somber te piekeren dat ze haar oude baan niet meer terug zal krijgen. In theorie misschien wel, maar in werkelijkheid natuurlijk niet. Ze kan Markus toch de functie niet afpikken waarin hij inmiddels goed is ingewerkt? Bovendien willen ze meer kinderen, minstens eentje, misschien twee en als het aan Markus ligt worden het er drie. Dan is deeltijds werken de enige optie: je kunt je moeilijk in een onderneming inwerken en dan weer voor een tijd verdwijnen.

Liefde is fysica

Een klassiek verschijnsel. Een boze boeman heeft een arme vrouw van haar talenten beroofd en haar haar levensambitie ontfutseld, of zien we dat verkeerd? Laten we eens teruggaan naar onze natuurkundige wetmatigheden en nadenken over de stelling:

> Krachten tussen lichamen treden nooit alleen op, maar altijd paarsgewijs.

Met deze stelling in het achterhoofd begrijpen we natuurlijk dat het niet Markus was die Paula uit haar geliefde beroep verstootte en naar het huishouden verbande. Integendeel, hij had liever zelf ouderschapsverlof genomen. En hij was daar niet zomaar halfhartig of theoretisch toe bereid; hij wilde het écht graag. Zelfs nu nog stelt hij geregeld voor om het tweede jaar voor zijn rekening te nemen of om Paula meteen na de borstvoedingsperiode af te lossen.

Waarom slaat Paula een aanbod af waar iedereen wijzer van zou worden? Hier volgen kort Paula's beweegredenen:

1. Paula is bang haar 'oerdomein', haar geëigende plek in het universum, prijs te geven. Dicht bij het kind zijn, de rol vertolken van eerste, beste en belangrijkste ouder, is voor veel vrouwen een kostbaar goed. Zelfs vrouwen zoals Paula, voor wie kinderen eigenlijk niet het middelpunt van hun bestaan vormen, klampen zich vast aan dit oude, typisch vrouwelijke privilege.
2. Paula laat zich leiden door uitspraken, vooroordelen over het moderne samenleven die ze overal om zich heen hoort. Deze uitspraken en 'wijsheden' zijn als het ware reclameslogans, de geniepige, sociale oorwormen van onze tijd: 'Vrouwen mogen werken, maar de man blijft de economische hoeksteen van het gezin.' 'Een vrouw die niet de belangrijkste ouder voor haar kinderen is, is een slechte moeder.' 'Een man die ouderschapsverlof neemt, is geen echte man.' Zelfs een vrouw als Paula, die toch een heel andere visie heeft, laat die oorwormen door haar hoofd spoken.
3. Paula is bang voor sociale afkeuring. Wat zullen de mensen zeggen als
   • zij haar man de baan die hij van haar heeft overgenomen, weer afneemt?

• haar man thuis blijft bij de kinderen terwijl zij carrière maakt?
• de kinderen meer van hun vader houden en dichter bij hem staan dan bij hun moeder?

Dergelijke onuitgesproken taboes en verwachtingen markeren de grenzen van onze bewegingsvrijheid. Als we eraan toegeven tenminste. En dat doet Paula. Laten wij eens kijken waarom.

'Tijdens de zwangerschap en ook daarvoor al was ik bang dat Markus beter met kinderen kon omgaan dan ik. Dat is eigenlijk prachtig, maar tegelijkertijd toch ook een gek gevoel. Als we bijvoorbeeld bij vrienden met kinderen – van verschillende leeftijden tussen twee en twaalf – kwamen, was Markus altijd meteen op een leuke, natuurlijke manier met hen bezig. Kinderen zijn altijd wég van hem. Ikzelf sta nogal terughoudend tegenover kinderen, zeker als ik ze niet ken. Ik heb geen echte band met kinderen. Ik voel me verkrampt: wat moet ik tegen ze zeggen, op welke toon, ben ik niet te kinderachtig bezig, of misschien juist te volwassen... Nee, ik ben daar gewoon niet zo los en open in.
De beslissing om thuis te blijven is er niet zomaar gekomen. Ik was vrij geëmancipeerd en dacht: Waarom moet de vrouw altijd thuisblijven? Dat is toch niet eerlijk? Toen besefte ik dat Markus niet zomaar een nietszeggend voorstel deed, maar dat hij echt graag ouderschapsverlof wilde nemen. Toen ik me daarvan bewust werd en me dat in werkelijkheid probeerde voor te stellen, moest ik toegeven dat ik dat helemaal niet wilde. Ik moest toch bij mijn kind zijn en niet alleen 's avonds en in de weekends? Markus heeft me hierin niet tegengesproken, maar herhaalt nog geregeld dat het geen definitieve beslissing hoeft te zijn en dat wij het altijd opnieuw kunnen bekijken. En later kan degene die de beste baan vindt, fulltime werken en de andere zich meer over de kinderen ontfermen.
Ik geloof echter dat een onderneming niet zo gemakkelijk aanvaardt dat een man voor de kinderen thuisblijft. In onze omgeving durft niemand dat openlijk zeggen, maar ze denken het wel. 'Ja, hij is nu anderhalf jaar weg, op hem kun je niet rekenen en hij komt zijn plichten niet na, hij laat de onderneming in de steek...'

Beroepsmatig had Paula de reputatie innovatief te denken, steeds de perfecte oplossing te vinden. In haar privé-leven verliest ze niet alleen dit creatieve talent, maar ook haar logisch denkvermogen.

Twee personen krijgen een kind, een van hen moet even ophouden met werken om voor het kind te zorgen. Persoon A wil dit doen, meldt zich vrijwillig voor deze taak, kan goed met kinderen overweg en weet ook precies wat hem te wachten staat – Markus had namelijk al eerder een baby in huis. Persoon B daarentegen is vooral met haar job bezig, heeft geen bijzondere band met kinderen en kan zich er ook weinig bij voorstellen. A en B verdienen evenveel.

De logische keuze valt op persoon A, maar persoon B dringt zich op. Zonder weldoordachte redenen, gewoon uit angst dat een of andere, niet nader omschreven persoon het gek zou vinden als zij niet resoluut die moederrol op zich neemt.

Laten we haar laatste uitspraak nog eens bekijken. Ze denkt dat als Markus thuisbleef, de mensen op de zaak zouden denken dat hij zich als man onverantwoordelijk opstelt.

Zo denken ondernemingen op dit moment over vrouwen. En daar zal pas verandering in komen als tegenovergestelde ervaringen deze vooroordelen doen verdwijnen. Waarom voelt Paula, die eigenzinnige geest, zich hier verplicht aan dit stereotiepe beeld te beantwoorden?

Ze bevindt zich in een krachtenveld van *externe invloeden* (de maatschappelijke verwachtingen) en van *rotaties en vervormingen* (haar persoonlijkheid die deze invloeden niet kan tegenhouden).

Het samenleven van vrouwen en mannen in deze tijd kunnen we beschrijven aan de hand van de volgende drie patronen:

Veel paren hebben nog een traditionele relatie. Ze gebruiken de oude uitdrukkingen misschien niet meer, maar die vrouw is toch zoiets als een huisvrouw, de man een kostwinner. Volgens de statistieken verdwijnt dit model stilaan.

Andere paren zien zichzelf als moedige pioniers. Vooroordelen en clichés kunnen hen gestolen worden, stuiten hen zelfs tegen de borst. Zij ontwikkelen een gelijkwaardige, innovatieve vorm van samenleven, met vaak onconventionele oplossingen voor het managen van hun carrière en kinderen.

De meeste paren volharden tegenwoordig in de merkwaardige tussenvorm van 'bijna partnerschap'. Ze zijn het er roerend mee eens dat een relatie een samenwerkingsverband moet zijn. Toch maken ze in hun eigen relatie kort voor het bereiken van dit doel pas op de plaats. Ironisch genoeg heeft deze mislukking een zuiver gemeenschappelijke dimensie: ze berust op wederkerigheid. Het paar is het er stilzwijgend over eens echt partnerschap te vermijden.

Als we hier dieper op ingaan, zien wij bij dit vermijden van partnerschap een 'taakverdeling'. De vrouw ontmoedigt de man zich op het 'vrouwelijke' domein te bewegen. De man belet de vrouw subtiel om professionele en andere doelen na te streven.

Het vergt heel wat inspanning om partnerschap te vermijden. Dat geven ze natuurlijk niet toe; ze verdedigen vaak heel moderne, progressieve stellingen. Maar als er een echte beslissing moet worden genomen, als het erop aankomt, duwen ze elkaar in hun traditionele domein terug.

Vrouwen saboteren bijvoorbeeld vaak en gedreven pogingen van hun mannen om betrokken en actieve vaders te zijn. Ze mopperen wel over hoeveel ze te doen hebben, hoe overwerkt ze zijn en wat ze beroepsmatig allemaal mislopen, maar als de man aanstalten maakt een oprechte en positieve bijdrage te leveren, boycotten ze dit uit alle macht.

Recent hielden wij een onderzoek naar ouderschapsverlof: 0,2 procent van alle vaders maakt gebruik van het recht op ouderschapsverlof, een belachelijk laag getal. In discussies gaat iedereen er altijd van uit dat mannen zich er inderdaad tegen verzetten thuis te blijven en beroepsmatig een stapje terug te zetten. Ook wij waren ervan overtuigd dat mannen zich niet vaker engageerden omdat ze dat gewoon niet willen. Dat een man graag ouderschapsverlof zou opnemen, maar zijn partner hem dit belette, hadden we niet verwacht. Totdat we zulke paren ontmoetten; het waren er meer dan we dachten.

Als een relatie zich ontwikkelt en na een paar jaar wezenlijk traditionelere trekken heeft gekregen dan in het begin, is dat niet omdat de ene de andere in een bepaalde richting heeft geduwd. Beide partners zijn daar verantwoordelijk voor en het vraagt heus niet veel inspanning een partner in het traditionele, seksebepaalde hoekje terug te duwen: een veelzeggende zucht over het oh zo onhandige gedoe van de vader, de veelzeggende ten hemel gerichte blik en het zinnetje 'Joh, laat mij dat nu maar even doen', en de vrouw heeft haar traditionele alleenheerschappij verdedigd.

Vrouwen laten zich eigenlijk heel gemakkelijk van hun professionele carrière afbrengen. De man moet alleen het juiste ogenblik – als ze al moe of moedeloos is – afwachten en haar dan met liefdevolle, kordate, mannelijke stem aansporen deze zware taak niet op zich te nemen, maar de harde strijd om het bestaan aan hem over te laten, aangezien hij daar toch de beste kansen heeft.

Liefde is fysica

Nog altijd hebben vrouwen bij de opvoeding en mannen bij hun beroep een startvoordeel, een thuisvoordeel. Hun omgeving kent hen in beide opzichten meer talent en rechten toe. Eén elleboogstootje en de aarzelende pogingen van de partner op het nieuwe terrein worden in de kiem gesmoord.

Een groots opgezet, representatief Amerikaans onderzoek maakte een doorsnede van alle vormen van moderne relaties en huwelijken, en bevestigde de drie hierboven genoemde categorieën:*
Een eerste groep handhaaft de traditionele relaties met de klassieke taakverdeling. De man gaat werken, de vrouw blijft thuis bij de kinderen.
De tweede groep beschouwt zich als modern en staat voor gelijkheid en écht partnerschap. De leden erkennen het recht van de vrouw op een professionele carrière en financiële onafhankelijkheid, evenals het recht van de man op actief vaderschap. Ze vinden dat ze huishoudelijke taken en andere plichten moeten delen. Ze streven naar een gelijkwaardige relatie. Maar toch realiseren ze die gelijkwaardigheid niet, niet helemaal tenminste. Zeker, beide partners werken, maar *de facto* blijven het huishouden en de familiale verplichtingen in deze relaties de taak van de vrouw. ZIJ neemt ouderschapsverlof. ZIJ zoekt een flexibele baan om zich aan de wisselende situaties binnen het gezin te kunnen aanpassen. Ontwikkelingen in de relatie die van het gelijkheidsbeginsel afwijken, bekijken deze paren pragmatisch en bestempelen ze als niet-duurzame uitzonderingen.
De derde groep heeft een echt egalitaire relatie. En als je daarbij het beeld van een bende alternatieve feministen met hun vegetarische softies van mannen voor ogen krijgt, zit je er ver naast! Velen hebben een traditioneel huwelijk achter de rug en willen zoiets nooit meer meemaken. De vrouwelijke gesprekspartners verklaarden dat ze zich in hun eerste huwelijk niet konden bewegen, dat ze betutteld werden en onrechtvaardig behandeld. Ook de mannen hadden hun traditionele huwelijk als belastend ervaren: ze wilden zich nooit meer zo totaal verantwoordelijk voelen voor het emotionele en financiële welzijn van een partner en zochten bewust naar een zelfstandige, werkende partner die haar 'mannetje' kon staan in een relatie.

Pepper Schwartz: Peer Marriage. How Love Between Equals really works, 1994

De jonge mensen over wie we het nu gaan hebben, vormen nog niet eens een echt paar, maar 'draaien en vervormen' zich gehoorzaam, bereiden zich samen voor in afwachting van de externe krachten die op hen in *zouden kunnen* werken. Ze streven – waarschijnlijk niet met opzet – naar dat niemandsland van de 'bijna gelijkheid'.

Harri is student en dat loopt allemaal prima, maar zijn echte passie is de *death metal*-band die hij met een paar vrienden heeft opgericht. Verder heeft hij nog een parttimebaan in een copycenter én een vriendin, Tina. Tina was secretaresse, totdat de afdelingschef haar talenten opmerkte en ze een bijscholingscursus mocht volgen. Ze is nu fulltime bezig met de organisatie van beurzen en volgt 's avonds extra cursussen.

Ze woont al een half jaar met Harri samen. Ze vormen een leuk, beetje punky paar: twee exotisch ogende, jonge mensen met pikzwart geverfd haar, artistieke kleine piercings door hun wenkbrauwen en rustig van aard. Het huis is van zijn familie; gas en licht betaalt hij; andere kosten delen ze; zij heeft hun laatste vakantie betaald; het huishouden neemt hij voor het grootste deel voor zijn rekening; in het weekend kookt zij. Een soepele, geïmproviseerde werk- en lastenverdeling dus, waar beiden geen probleem mee hebben.

Maar er zijn twee minpuntjes die dit beeld verstoren.

Zo vormt de vrijetijdsbesteding een belangrijk twistpunt. Voor Harri staat de gezamenlijke vrije tijd volledig in het teken van de muziek. Of hij oefent met de band, of hij treedt op met de band, of hij drinkt een biertje met de band, of hij gaat naar een feestje waar leden van andere bands het over bands hebben. Tina houdt van muziek, is dankzij Harri zelfs een fan van *death metal* geworden. Maar in zijn kringen voelt zij zich nog altijd een buitenstaander, of erger: een aanhangsel. Samen met de andere vriendinnen die 'mee mogen', zit ze erbij en hoopt dat de avond snel voorbijgaat. Ze vindt het leuk om over muziek te praten, maar niet uren aan een stuk en met die andere meiden heeft ze niets gemeen. Alleen het toevallige feit dat ze allemaal *death metal*-fanaten als vriend hebben, brengt hen bij elkaar.

Harri beschrijft de situatie als volgt:

'Het probleem is dat we in de band veel over muziek praten. De mensen die we ontmoeten, spelen ook allemaal in een band en zo krijg je vaak heel specifieke gesprekken waar Tina zich niet zo kan inleven. Ze heeft geen eigen vriendenkring. Omdat ik altijd het woord voer, ben ik voor anderen de sterke man in de relatie. Thuis is ze losser, misschien ben ik thuis ook anders. Ze lijkt verlegen op feestjes. Ik praat en zij staat er meestal naast, ook als ze de mensen kent. Als we het over iets anders hebben, doet ze eigenlijk ook geen mond open. Het grappige is dat de vriendinnen van de andere bandleden ook zo zijn. Als wij bij elkaar zitten, zijn bijna altijd de mannen aan het woord. Onder elkaar praten de meisjes eigenlijk ook niet.'

Zelfs heel zelfverzekerde mensen voelen zich niet op hun gemak in een gezelschap waar iedereen hetzelfde vak uitoefent of iets anders gemeen heeft. Je mag de kunst van de *smalltalk* nog zo goed beheersen, het blijft moeilijk. Stel dat het gezelschap uit hart- en vaatchirurgen bestaat die het over hun laatste congres hebben, of architecten of acteurs of kunstenaars of journalisten of snowboarders – of *death metal*-freaks – en de gesprekken worden in hun eigen jargon gevoerd. Zelf ben je de 'meegetroonde' echtgenote of vriendin. Dat is geen probleem als je daarnaast je eigen leven hebt en deze mensen maar af en toe ontmoet. Maar als de vriendenkring van je partner de gemeenschappelijke vriendenkring wordt en je toch een buitenstaander blijft, tja, dan wordt het vervelend. Theoretisch maakt het hier niet uit of het over mannen of vrouwen gaat. Hoewel in de praktijk dit lot eerder vrouwen dan mannen is beschoren. Misschien verzetten mannen zich sneller tegen de rol van 'aanhangsel' en vinden vrouwen het, zeker in het begin, nog romantisch; verwachten ze er iets van: 'Tjonge, dit is een totaal nieuwe wereld voor me.' Misschien doen mensen meer moeite voor meegetroonde mannen en worden vrouwen veel eerder in de rol van onzichtbare, onbelangrijke toehoorder geschoven.

Opmerkelijker is het tweede minpunt dat zich bij dit moderne paar manifesteert. Beiden zijn midden-twintig en vinden dat ze een goede, duurzame relatie hebben. Ze willen allebei kinderen. Harri ziet de toekomst van zijn relatie als volgt:

'Het hangt er gewoon van af in welke job ik terechtkom. Het lijkt ons wel wat om een gezinnetje te stichten, maar dat kan alleen als ik een vast inkomen heb. Tina zal dan degene zijn die thuis bij het kind blijft. Maar dat is, geloof ik, nog toekomstmuziek. Wat mij betreft begonnen we er nu meteen aan, maar financieel is dat niet haalbaar.

Ik blijf werken en zij neemt ouderschapsverlof, zo wil ze het ook. Ik twijfel er zelfs aan of ze daarna weer zou gaan werken als ik genoeg verdien. Mij maakt dat niet uit, net zo min als het mij iets uitmaakt als ze wel weer wil gaan werken. Dus eigenlijk willen wij allebei een kind, maar ons

gezond verstand zegt ons dat het niet praktisch is zolang ik nog studeer.'
Zoals gezegd: Harri studeert, heeft een gewoon, parttimebaantje en een
niet heel prestigieuze hobby. In de ogen van de goegemeente stelt hij dus
eigenlijk nog niet veel voor. Het is voor hem vanzelfsprekend dat hem
een goede baan en een positie van kostwinner wachten. Uitgerekend *hij*
heeft zo een burgerlijke toekomst voor ogen. Daaruit kunnen we wel
afleiden hoe machtig die 'externe krachten' in combinatie met de 'rotaties en vervormingen' kunnen zijn.

Of zijn partner gaat werken of niet, moet ze zelf weten. Als ze werkt, dan
is dit eerder om psychische redenen: ze moet het doen als het haar even-
wichtiger en dus tevredener maakt, niet omdat het belangrijk is, of
omdat ze zodoende een belangrijke financiële bijdrage levert. En
natuurlijk moet ze het alleen doen als het is te combineren met haar rol
als huisvrouw en moeder.

Tina is getalenteerd en ook ambitieus – anders had haar baas haar niet
bevorderd en zou ze niet de moeite nemen extra cursussen te volgen. Op
dit ogenblik is Tina veel verder dan Harri. Tina verdient goed en maakt
kans op promotie.

Tot nu toe hebben Tina en Harri een betrekkelijk evenwichtige relatie,
maar de kentering zal niet lang op zich laten wachten. En het schip zal
echt scheef gaan liggen als Harri de kostwinner wordt en Tina thuisblijft.

Waarom lijden zo veel huwelijken en relaties schipbreuk terwijl mensen
meestal toch een rustige haven en een betrouwbare persoonlijke basis
opzoeken? Die verklaring is heel eenvoudig: een schip maakt slagzij als
het niet stabiel is.

In hun intiemste relaties, in de structuur die hun leven het meest
bepaalt, zoeken vrouwen weliswaar gelijkheid, maar tegelijkertijd verlangen zij een overheersende man. Stabiliteit en ongelijkheid gaan niet
samen, net zo min als democratie samengaat met de roep om een sterke
man. Stabiliteit vereist een evenwichtig partnerschap tussen gelijkwaardige deelnemers. Vrouwen zoeken echter hardnekkig naar een
partner die superieur is. Dat gaat niet. Theoretisch niet en natuurkundig
al helemaal niet. Dat kon Archimedes ons al eeuwen geleden vertellen.

Voor ons zijn vrouwen om meerdere redenen de hoofdoorzaak van het
overhellen van het moderne relatieschip.

Allereerst zijn het de vrouwen die bepalen hoe een aantrekkelijke mannelijke partner er moet uitzien. Die machtsfactor hebben zij in handen. Als vrouwen stellen dat *de* aantrekkelijke man, hun ideale levenspartner, een man is die goed met kinderen kan omgaan, die in het huishouden helpt en zijn vrouw op professioneel vlak steunt en daarbij ook trots is op haar prestaties, zullen mannen vanaf morgen massaal dit ideaalbeeld nastreven. Mannen willen bij vrouwen in de smaak vallen en dat is zeker niets nieuws.

In de Middeleeuwen waren mannen grof, ongewassen en onbeschoft en dat vonden vrouwen niet leuk. Maar hoe losten ze dit op? Zodra ze zich hun onvrede realiseerden, verspreidden ze de bewering dat het allemaal mooi en aardig was om als een onversaagde ridder het land te doorkruisen en stoer te doen tegen de mensen, maar of dat nu aantrekkelijk was? Nee, dan zo een mediterrane troubadour, ongelooflijk sexy die kerels! Geen echte spierbundels, maar attent...! Om hopeloos verliefd op te worden! En meteen begonnen alle mannen te dichten en zich te parfumeren, ze lieten zich door een vrouw een zakdoekje als geluksbrenger schenken, gingen hen het hof maken, wijn inschenken, deuren openhouden, noem maar op.

En hoe stellen vrouwen van nu zich hun ideale partner voor? Hij moet groter zijn dan zij en liefst een paar jaar ouder. Hij moet al het een en ander hebben verworven: misschien een eigen woning, een auto, wat aandelen. Op professioneel vlak staat hij hoger dan de vrouw, hij verdient meer en heeft betere carrièrekansen. Ook mentaal mag hij superieur zijn – koeler, soevereiner. En sociaal geldt hetzelfde: een vlotte spreker, kordater in het afhandelen van taken en tegenslagen, en met een vriendenkring die belangrijker en interessanter is dan die van de vrouw. Een vrouw wil 'hogerop' trouwen, ook bij moderne vrouwen zit deze gedachte nog diep geworteld. En ze wil naar haar partner opkijken. Daarmee gaat het relatieschip al gevaarlijk scheef hangen.

Criterium één: hij moet groter zijn

'Zelfs als ik hoge hakken draag, moet hij nog groter zijn.' Dit criterium kregen we meerdere malen te horen van toch vrij intelligente vrouwen – niet van vrouwen wier enige levensdoel het was hun toekomstige kind in de hoogste korfbalklasse te zien spelen. 'Als we naar het theater gaan en ik draag hoge hakken, dan moet hij groter zijn dan ik.' Denk eens even na over die uitspraak en geef dit criterium dan een plek in de top-tien van de dingen die in de relatie met je eigen partner instaan voor geluk en harmonie.

Wij hebben een vriendin, laten we haar Sophia noemen. Sophia is arts en hoofd van de dienst spoedgevallen. Ze heeft een kind uit een eerste huwelijk, daarnaast nog een pleegkind, een zieke moeder en een bestuursfunctie in een medische hulporganisatie. Je merkt het al: Sophia is een drukbezette vrouw.

Sophia wil graag een nieuwe partner, maar doordeweeks heeft ze alleen met getrouwde mannen te maken. Vandaar ook dat ze haar vriendinnen vraagt eens voor haar rond te kijken. Die vriendinnen denken na, hebben het erover met hun echtgenoten, en komen algauw met een kandidaat op de proppen. Of ze die-en-die misschien eens moeten uitnodigen, heel onopvallend, om kennis te maken? Ze verwachten vragen over zijn persoonlijkheid, zijn familie, zijn beroep, uiteraard ook over zijn uiterlijk, maar Sophia wil maar één ding weten: is hij groot? Minstens 1,80? Het is niet voldoende dat hij duidelijk langer is dan zij, dat hij aardig en leuk en vrolijk en aantrekkelijk is. Als hij geen 1,80 is, hoeft ze hem niet eens te *zien*. De vriendinnen trekken zich de haren uit het hoofd. Wat is dat toch? Sophia is normaal toch niet zo oppervlakkig? Is ze als kind soms mishandeld door een dwerg en heeft ze daar een trauma aan overgehouden? Het mag niet baten: één meter tachtig of niet.

Criterium twee: hij moet ouder zijn

Het tweede criterium is nog irrationeler. De levensverwachting van mannen is sowieso al lager dan die van vrouwen (gemiddeld vijf tot zeven jaar). Een vrouw die bewust met een oudere man trouwt, verhoogt daarmee haar kansen op een eenzaam weduwschap. Op andere vlakken verlaagt ze met dat besluit haar kansen op een harmonieuze relatie. Neem nu seks: de mannelijke interesse voor seksualiteit bereikt vroeger een hoogtepunt dan de vrouwelijke. Als er dan toch een leeftijdsverschil moet zijn, dan is het omgekeerde veel zinniger. Houdingen, interesses, ondernemingszin zijn allemaal afhankelijk van de leeftijd van de persoon in kwestie. Ook dat onrechtvaardige oordeel over leeftijd en aantrekkelijkheid waaronder vrouwen vanaf hun vijftigste te lijden hebben, danken zij uitsluitend aan zichzelf. Vrouwen worden gedwongen oudere mannen te beschrijven als gepast aantrekkelijk voor een jongere vrouw om zulke combinaties te rechtvaardigen.

Liefde is fysica

Criterium drie: hij moet beter onderlegd zijn

Dat is logisch: wat je het eerste zoekt in een huwelijk is natuurlijk iemand die je kan uitleggen waarom het na de Dertigjarige Oorlog zo snel weer hommeles was.

Criterium vier: hij moet op professioneel vlak hoger staan

Laten we hier eens over nadenken: in welke situatie kom je terecht als je met iemand samenleeft die op professioneel vlak hoger staat? Wie is dan automatisch de belangrijkere persoon? Als het nu bijvoorbeeld tot een conflictsituatie komt, wie mag dan blijven werken? Als jullie allebei moe zijn, de ene van belangrijke vergaderingen met belangrijke mensen, de andere van het rondsjouwen met blèrende en ruziënde kleine kinderen en twee wasmachineladingen plus bijbehorend strijkwerk, welke moeheid komt er dan het meest voor in aanmerking om voor de televisie te hangen?

Criterium vijf: hij moet materieel iets inbrengen

De praktijk van een bruidsschat is oud en eerbiedwaardig, maar tegenwoordig geen voorwaarde meer. Een ons bekende jonge vrouw met de naam Viktoria bracht de eerste jaren van haar huwelijk door met het afstoffen van de olieverfschilderijen, experimentele staalgravures en andere bijzondere voorhuwelijkse aankopen van haar man. En een zekere Lisa en haar eerstgeborene hadden jarenlang te lijden van de peperdure stereo-installatie (Niet aankomen! Weet je wel wat dat heeft gekost! Weg met die zweterige tengels!) van haar partner.

Wij adviseren een man die je met vriendelijke, glazige blik in de ogen door de winkel voor woondecoratie volgt. Een auto? Een eigen woning? Wij behoren toch niet meer tot de naoorlogse generatie die deze indicatoren van zekerheid nastreefde. Aandelen? Welnee, veel te riskant.

Een moderne vrouw zou moeten kiezen voor een man die:
• leuk, vriendelijk, aangenaam, spraakzaam en onderhoudend is en veel interesses met haar deelt. Tenslotte zal zij haar vrije tijd hoofdzakelijk met hem doorbrengen. Vroeger was dat anders: toen brachten vrouwen het grootste deel van hun tijd door met andere vrouwen en kinderen. Als alles goed gaat, zullen man en vrouw heel lang samenzijn en als ze elkaar niets te vertellen hebben, wordt dat wel saai. En ook dat was

vroeger anders, want toen lag de levensverwachting veel lager dan nu.

- van kinderen houdt, graag met haar samen is en zorgzaam is. Als zij-zelf kinderen wil, zal dat bijdragen tot een hecht gezin, een solide huwelijk en betere kansen op professioneel vlak, omdat ze dan de opvoedingstaken met hem kan delen.
- qua status, inkomsten, opleiding en vakgebied zo veel mogelijk op haar niveau zit. Als hij hier een voorsprong heeft, zal zij in een conflictsituatie automatisch een stap terug moeten doen.

3. Romeo en Julia: een fysische correctie

De overlapping van twee harmonische golfbewegingen met gelijke frequentie levert één harmonische golfbeweging met dezelfde frequentie op, waarvan de amplitude* kan worden berekend door de vectoriële samenvoeging van de elongaties van beide golfbewegingen.
Bij gelijke amplitude van de overlappende golfbewegingen in tegenfase, ontstaat volledige opheffing.

* Amplitude = grootste waarde van een wisselende grootheid ten opzichte van haar basiswaarde.

Zover waren wij al: 'volledige opheffing' is wel het laatste dat we in een partnerschap nastreven. Het volgende voorbeeld toont aan dat het niet altijd hoeft uit te draaien op volledige opheffing.
Lena kwelt zichzelf zoals alleen een 18-jarige zich kan kwellen: in het abstracte vooruitlopen op pijn, nog voordat echte pijn wordt ervaren.
Ze is het prototype van de jonge, moderne vrouw. Haar ouders hebben haar altijd aangemoedigd en ze zat op progressieve scholen. Ze werkt deeltijds op de vooruitstrevende popredactie van een jongerenradiozender. Gelijkheid? Nogal logisch!
Maar zo zeker van haar zaak is Lena nu ook weer niet. Zoals het een 18-jarige betaamt, denkt ze veel na over de liefde. Het moet toch fantastisch zijn écht verliefd te zijn. Maar als ze kritisch naar haar omgeving kijkt, zit de liefde blijkbaar vol angels en voetklemmen, zeker voor een vrouw. Om zich heen ziet ze vrouwen die in naam van de liefde hun doelen en identiteit opgeven en die liefde dan meestal nog niet eens kunnen vasthouden! Uit elkaar, gescheiden, gedesillusioneerd blikken ze terug op vijf of tien of vijftien verloren jaren. Is liefde voor vrouwen gelijk aan opheffing? Dat lot wil Lena allicht vermijden. Maar ja, van de liefde wil ze toch niet afzien. Is dit mogelijk?
Ja, dat is mogelijk. Lena moet dan wel goed opletten als in de natuurkundeles het hoofdstuk 'Dynamica, impuls en kracht' aan bod komt.

Daar zal ze leren hoe ze een elastische botsing (stimulerend) van een onelastische botsing (opheffend) kan onderscheiden.

Maar eerst de ideeën van Lena over het thema vrouwen en liefde.

'Als vrouw is alles me altijd van een leien dakje gegaan. Maar soms denk ik dat ik misschien een te positieve kijk op de dingen heb meegekregen als ik mezelf wijsmaak dat vrouwen alles al hebben bereikt. Misschien geldt dat alleen voor mijn omgeving; ik moet nu toch toegeven dat dat nog niet onvoorwaardelijk voor de rest van de wereld geldt.

Ik ga nog naar school, maar heb ook een baan bij een radiozender. Daar valt het mij op dat in de redactievergaderingen vrouwen minder aan het woord komen, erger nog: ze worden geregeld gewoon in de rede gevallen. Ik laat dit gemakkelijker over mijn kant gaan dan de anderen. Het intimideert me wel, maar ik kan ermee omgaan. Als ik iets zeg, een voorstel doe en ik word daarbij onderbroken, vraag ik me eerst af of het misschien aan mij ligt. Ik wil niet alles herleiden tot het feit dat ik een vrouw ben. Daarom vraag ik me eerst af of het echt onzin is wat ik vertel. Meestal is het antwoord nee, het is geen flauwekul. En trouwens, laat mij óók eens flauwekul uitslaan! Die jongens van de redactie zijn ook niet altijd van de slimsten. De vorige generatie vrouwen heeft toch al voldoende aangetoond dat wij het kunnen? Moet ik alles nog eens dunnetjes overdoen? Maar het feit dát ik überhaupt nog zulke situaties meemaak, zet me toch aan het denken. Ik werk in een ontspannen setting – onze zender FM4 wordt bemand door progressieve, moderne, jonge mensen. Als het híér al zo gaat, hoe zit het dan elders?

Ik kan me niet indenken dat ik een relatie zou hebben zoals sommige van mijn vrienden. Die doen altijd alles samen. Ik begrijp het wel: als je van iemand houdt, wil je zeker zijn dat het ook standhoudt, je wil garantie. Daarom trouwen mensen ook. Het huwelijk is dan een overeenkomst onder het motto 'jij blijft bij mij, want dat ben jij me verschuldigd'. Maar dat is nu precies wat ik niet wil in een relatie: de ander iets *verschuldigd* zijn.

Ik wil geen beschermer, maar liever een raadgever. Ik wil wel op iemand kunnen steunen, maar niet in de zin dat hij alles voor mij doet. Gewoon iemand bij wie ik even kan bijkomen, korte of misschien wat langere tijd, tot ik daar weer kracht uit kan putten. Ik wil het gevoel hebben dat er iemand is die het niet koud laat wat er met mij is, voor wie ik belangrijk ben en met wie ik altijd alles kan bespreken. Niet dat hij mij helpt – ik help mezelf wel – maar met wie ik kan overleggen. En hij moet dat ook kunnen.

Ik geloof dat het voor het zelfbewustzijn van mannen prettig is als vrouwen zich ondergeschikt opstellen en hen als beschermer zien. Dat is ook een aangenaam gevoel. En het is vermoedelijk ook zo dat een sterke vrouw sexy is omdat men haar moet veroveren. Maar hoe gaat het dan verder, wat gebeurt er als hij haar heeft veroverd? Blijft ze zwak of wordt ze weer sterk? Weet ik veel! Het is toch vrij ingewikkeld allemaal.

Ik geloof niet dat vrouwen zich tegenwoordig eerst nog willen laten veroveren, wel dat ze zich naderhand volledig overgeven. Daarom moet ik er maar voor zorgen dat mijn relatie niet de kern van mijn bestaan wordt. Zoals ik het zie, zijn het meestal de mannen die terughoudend zijn. Ze zijn vaak bang voor de aanhankelijkheid van vrouwen – en dat begrijp ik ook. Eerlijk gezegd begrijp ik de angst van mannen als vrouwen daar zo veel belang aan hechten. Persoonlijk werkt mij dat ook op de zenuwen. Relatie zus, relatie zo: gesprekken onder vrouwen gaan vrijwel uitsluitend daarover. Ik weet niet of dat bij mannen ook zo is, maar ik kan het mij niet voorstellen. Ik zou wel eens willen weten of zij onder elkaar ook constant over hun relatieperikelen zeuren.

En ik merk dat vrouwen zich laten chanteren. 'Als jij dit niet doet, dan blijf ik niet bij je.' Voor vrouwen is de relatie kennelijk belangrijker dan voor mannen, en de mannen zitten er niet mee om dat volledig uit te buiten. Ze zeggen – direct of indirect: 'jij bent niet zo belangrijk voor mij', of 'de relatie tussen ons is voor mij niet zo belangrijk als voor jou, en dus moet jij doen wat ik wil'.

Ik wil wel een vaste relatie. Ik wil iemand hebben voor wie ik echt belangrijk ben en die voor mij ook belangrijk is. Maar zeker niet *te* belangrijk! Alle andere dingen wil ik namelijk ook nog hebben.'

Zoals je ziet, heeft Lena intuïtief begrepen waar het om draait. Ze wil drie dingen: de stimulerende, intense liefde leren kennen; een stabiele, duurzame liefdesrelatie; en daarbij een eigen leven houden, haar zelfstandigheid bewaren. Dat is mogelijk. Ze moet het lot van veel andere vrouwen vermijden: ze moet ervoor zorgen dat ze niet gaat vastplakken aan het leven van een ander, maar dat ze iemand vindt met wie ze een evenwichtig partnerschap kan hebben.

Lena's probleem – en niet alleen dat van haar – is volgens ons het feit dat we in een hoogtechnologische, wetenschappelijk georiënteerde beschaving leven, maar op het vlak van de menselijke verhoudingen nog ver, heel ver achterlopen. Wij kunnen raketten naar andere planeten afschieten en schapen klonen, maar wat onze sociale verhoudingen betreft, gaan wij uit van slechte, absoluut onwetenschappelijke, natuurlijke krachten verloochenende ijkpunten. Op dit gebied zitten we nog in de Middeleeuwen. Galilei heeft nog niet door zijn telescoop gekeken, Newton is nog niet geboren; bijgeloof en angst beheersen de wereld.

Waarop oriënteren jonge mensen zich, als ze over belangrijke dingen zoals liefde, seksualiteit, samenleven met hun toekomstige levenpartners en het verwekken van nakomelingen nadenken? Op een terloopse uitspraak van een bekende popster in een interview? Echt, als onze beschaving op andere domeinen ook op zulke wankele referentiekaders steunde, zouden we nu nog in holen leven.

De liefde: via vriendinnen en tijdschriften heeft Lena haar criteria aangelegd om ware liefde te herkennen. Je bent verliefd – om het met de woorden van Lena te zeggen – als je je 'wauw' en 'supergelukkig' voelt. Overigens vertrouwde Lena ons toe dat ze dit gevoel nog nooit heeft meegemaakt. Haar vriendinnen ook niet. Wat deze meisjes tot nu bij hun vriendjes hebben ervaren, was eerder genegenheid, kriebels in de buik en wisselvallige gevoelens van geluk of verdriet. Die constatering brengt hen echter niet op het idee dat hun criteria misschien niet kloppen. Nee, ze blijven zoeken naar het *wauw*.

Maar Lena is ook wetenschappelijk ingesteld. Ze leeft tenslotte in een empirisch tijdperk en daarom maakt ze ook een wetenschappelijke analyse van het onderwerp, van volwassen vrouwen die ze in het dagelijkse leven ontmoet. Hier krijgen we een heel ander beeld van de liefde. Statistisch is gemiddeld meer dan de helft van de vrouwen alweer verlaten door of gescheiden van het voorwerp van hun onsterfelijke, overdonderende, gelukzalige liefde. En de meesten van hen spreken weinig vriendelijk over hun ex. Als hier ooit sprake was van een *wauw*, dan is dat lang geleden verbleekt.

Lena heeft met betrekking tot de liefde de foute, vanbuiten opgelegde oriëntatiepunten natuurkundig geformuleerd: ze gaat uit van het foute model.

Het model op zich heeft ze nodig omdat het bij de liefde om iets abstracts gaat dat niet objectief valt te meten of te bewijzen. Het is in zulke gevallen echter heel belangrijk uit te gaan van het *juiste* model en zich bewust te zijn van de beperkingen van het model.

Liefde is fysica

Het onderzoek van elektriciteit en samenhangende verschijnselen wordt bemoeilijkt door het feit dat de mens geen zintuig heeft dat hem elektrische processen onmiddellijk laat waarnemen. Hij is aangewezen op de waarneembare veranderingen van het materiële lichaam die door deze processen worden veroorzaakt.

Om zich een beeld te vormen van zintuiglijk niet waarneembare fenomenen, gebruikt de mens modellen. Hij ontleent die aan de inzichtelijke, tastbare wereld. Daarin ligt het gevaar verscholen dat men [...] conclusies trekt die er in realiteit niet zijn. Men mag analogieën niet gelijkstellen aan gelijkheid; men moet zich bewust blijven van de beperkingen van het model.

Hetzelfde geldt voor de liefde. Wij hebben geen zintuig waarmee we onmiddellijk kunnen waarnemen of het bij onze gevoelens voor een andere persoon – en hun gevoelens voor ons – om een toestand van echte liefde handelt. En we kunnen al helemaal niet afleiden of het gaat om positieve, 'elastische' liefde of 'inerte' liefde die maakt dat we op de meest pijnlijke manier als een klit aan de andere persoon hangen tot onze opheffing als intelligente persoonlijkheid is bereikt. Helaas klinkt er geen zoemtoon of een speciaal alarmsignaal: wij moeten ons behelpen met andere, 'tastbare veranderingen'.

- Hoe voelen wij ons als we bij deze persoon zijn?
- Welke objectieve veranderingen merken we op in ons leven?
- Zijn het goede of slechte veranderingen?
- Worden wij door deze relatie vervormd of behouden wij onze oorspronkelijke energie?

Het moet inmiddels duidelijk zijn dat wij ons model voor het begrijpen van zo een complexe toestand niet uit een vrouwenblad of een hysterische filmromance kunnen afleiden. De fysica baseert zich op natuurfenomenen en wij doen dat ook.

Ons model vinden wij in de fysica, en wel in het hoofdstuk 'Mechanische golfbewegingen en golven'. Daar wordt ons een poëtisch, romantisch beeld geschetst. Twee eenheden komen samen, zonder dat de ene de andere verstoort, benadeelt of erger nog, permanent beschadigt.

Wat een wonderlijke vraag. Die zou in elke trouwring moeten zijn gegraveerd, en als kernspreuk boven elk echtelijk bed moeten hangen. Als liefdesparen elkaar zoete woordjes in het oor fluisteren, zou dit hun eerste zin moeten zijn: 'Golven doen elkaar niets.'

Wij stellen ons een rustig, helder bergmeer voor. Wij lopen langs de oever. In het maanlicht, waarom niet? In gedachten verzonken rapen we twee kiezelsteentjes op, de ene met de linker-, de andere met de rechterhand. Wij laten de stenen dromerig in het water vallen. Als de stenen het wateroppervlak raken, veroorzaakt dit een golfbeweging. Op de twee plaatsen waar de stenen in het water plonzen, zien wij nu kringen van golven. Die twee kringen breiden zich uit, steeds verder tot ze elkaar raken. Ze vermengen zich kort en op het punt waar ze elkaar raakten, ontstaat onrust. Er ontstaat turbulentie aan het wateroppervlak. Dan gaan de kringen weer uiteen en elke golfkring stuurt zijn golfjes weer in de 'geplande' richting, totdat ze langzaam verzwakken en wegebben.

Hier vonden wij de stelling dat dit het grote romantische voorbeeld voor jonge mensen zou moeten vormen in plaats van de balkonscène van Romeo en Julia – twee mensen die zich met hun liefde en vooral met hun ondoordachte, lichtzinnige, onintelligente plan voor een happy end, tragisch in de vernieling stortten:

> Twee golfkringen kunnen zich uitbreiden, elkaar gedeeltelijk overlappen en door elkaar heen dringen, zonder elkaar daarbij te verstoren. Na het treffen lopen de golven ongestoord verder. De onverstoorde overlapping van meerdere golven op dezelfde plaats noemt men interferentie.

Een relatie hebben en toch je eigen leven, doelen en ambities en interesses behouden, dat is wat Lena wil. En wij hebben een prima model om te meten of het bij een relatie echt om liefde gaat: als je intact en ongeschonden uit de ontmoeting tevoorschijn komt, dan is het liefde; als je de richting kwijt bent, dan is het geen liefde.

Liefde is fysica

Ten slotte vinden wij hier zelfs die wauwbeleving en erotische belofte waarnaar Lena en haar vriendinnen zo vurig verlangen:

> Op het moment van de ontmoeting voegen de elongaties zich samen; ze versterken elkaar maximaal juist op het moment dat beide golftoppen over elkaar komen te liggen [...]. Deze gespannen toestand kan echter niet blijven bestaan; de energie die erin besloten ligt, wordt naar beide richtingen van de drager afgevoerd. De twee oorspronkelijke golftoppen maken zich weer van elkaar los en vervolgen energiek hun traject naar links en rechts. Hun interferentie heeft geen interne verstoring tot gevolg gehad.
>
> Elongatie = de uitwijking van de golf

Maar goed dat conservatieve ouderverenigingen zelden in natuurkundeboeken neuzen, anders stonden ze misschien al op de index...

Interferentie en opheffing – een verdiepende oefening
Het is belangrijk interferentie (= goed) van opheffing (= heel, heel slecht) te kunnen onderscheiden. Met wat oefening is het helemaal niet zo moeilijk deel uit te maken van een golfkringsysteem. Golfkringsystemen mogen van meet af aan hun individualiteit behouden. Niemand verlangt van hen dat ze hun frequentie veranderen of amplitude aanpassen. Nee, ze gaan gewoon hun eigen weg – tot het lot hen tegen het golfsysteem van een partner aanduwt.
Ze ontmoeten elkaar. Ze vermengen zich. Ze beleven opschudding, onrust, turbulentie – en dan worden ze weer rustig en vervolgen ongestoord en onvervormd hun weg.

Laten we eens kijken naar Anja, 36 jaar oud, drie kinderen. Wat is Anja: een golfkring of een harmonische golf met gevaar voor volledige opheffing?
'Wij waren al lang samen en wisten niet of we onze relatie een permanenter karakter moesten geven. Ik werkte, had een eigen woning en mijn onafhankelijkheid was heel belangrijk. Toen moest Heinrich voor zijn werk een jaar naar New York en we besloten dat ik mee zou gaan. Zo konden we proefondervindelijk uitzoeken of we konden samenleven.'

Mmm, dat klinkt al bedenkelijk. Van begin af aan al veel twijfels en dan een absoluut eenzijdig waagstuk ondernemen – lichtzinnig! De ene kant geeft baan, woning en onafhankelijkheid op – drie dingen die voor haar belangrijk zijn – om zich vast te klitten aan een persoon die niets opgeeft, maar zijn eigen weg gaat, iemand van wie ze zelfs niet zeker is. Dat doet denken aan een gedwongen gelijke amplitude en nauwelijks aan zelfstandige golfkringen.

'Kort voor ons vertrek bleek dat ik zwanger was.'

Oh nee! Een overlapping met gevolgen. En nog meer druk, als we kijken naar de harmonische golfbewegingen.

'Ik voelde me zo miserabel, ik kon me amper nog bewegen. Daarbij kwam nog de druk van de buitenwereld om te trouwen, omdat ik zwanger was.'

Zie je wel! Nog meer druk qua harmonische golfbeweging.

'New York was een cultuurschok. We zaten daar voor het eerst heel dicht op elkaar en al heel gauw bleek dat we er elk een heel verschillende stijl op nahielden. Ik ben vrij chaotisch en Heinrich is heel ordelijk. In het begin bleef de kritiek nog achterwege omdat ik zwanger was en hij me niet te veel wilde belasten.'

> In de klassieke fysica wordt het toekomstige onmiskenbaar op basis van de causaal geformuleerde natuurwetten door het tegenwoordige bepaald en is dus in principe berekenbaar.

Anders geformuleerd: wij kunnen nu al voorspellen dat Anja en Heinrich grote problemen zullen krijgen.

'We keerden terug naar Duitsland en al vrij snel diende ons tweede kind zich aan. Ik raad het niemand aan, want het was heel zwaar. Maar Heinrichs ouders hadden vijf kinderen en zoiets had ook hij in gedachten.

Hij werkte zich te pletter. Wij ontbeten samen, maar dat was dan ook alles. Hij ging om acht uur de deur uit en was meestal niet voor halftien, tien uur thuis. Ik was dan zelf meestal vrij uitgeteld. Ik had ook de indruk dat hij zich te veel op de hals haalde, onnodig, uit perfectionisme. Maar ik kon hem moeilijk zeggen hoe hij zijn werk moest doen. Ik kon niet anders dan het spel meespelen.'

Wij weten inmiddels dat Anja en Heinrich niet in een golfkringensysteem leven. Gevolg daarvan is dat in hun relatie de wetten van de golfbewegingen gelden, en die zijn voor Anja zeer ongunstig. Gezien haar zwakke positie in dit systeem kan ze niet veel waarmaken.

'Toen ons tweede kind een half jaar was, kreeg Heinrich een relatie met een andere vrouw. Ik had lang niets in de gaten. Toen ik hem ermee confronteerde, zei hij dat het hem gewoon was overkomen en dat met haar alles zo anders was, even geen alledaagse beslommeringen en zo ontspannend. Eenmaal per week was hij bij haar, en het was zo waanzinnig leuk bij haar, zo zonder blèrende kinderen, flesjes en poepbroeken. En het had ook echt niets met mij te maken en zo – blablabla. De standaardtekst die je in elke slechte film hoort.

En ik zat daar maar en voelde me vanbinnen koud, ellendig, dood.'

Opheffing – vind je dit nog steeds een verleidelijk begrip? Romantisch? Iets in de trant van eenwording en versmelting? Anja weet wat opheffing betekent: kilte en dood.

'Maar ik had twee kinderen en we besloten het toch weer met elkaar te proberen.

Toen werd ik ziek. De diagnose werd gesteld: een kwaadaardige tumor. Ik kreeg chemotherapie. Het was verschrikkelijk. Ze weten niet waarom de kanker zich heeft ontwikkeld – een fout in het immuunsysteem zeiden ze. Ik merkte eigenlijk pas dat ik ziek was omdat ik zo mager werd. Daardoor was ik ook altijd uitgeput.'

Het was logisch dat Anja magerder en kleiner werd en zich vreselijk futloos voelde. Zij had het grootste deel van haar energie afgegeven.

Ze is bijna volledig afgeschreven, voelt zich dood en krijgt een levensbedreigende ziekte.

'Het was ook moeilijk met de kinderen. Ik had geen seconde voor mezelf. De oudste was drie en de jongste bijna twee. Ik heb daarom alles ambulant geregeld. Eén dag per week kreeg ik een infuus, verder was ik thuis. Op die infuusdag was de oudste bij mijn nicht en de jongste bij mijn moeder. Een tijdje moest ik zelfs elke dag naar het ziekenhuis. Mijn man heeft ook eens een dag vrijgenomen, maar toen hij mij met dat infuus zag, werd hij groen. Ik vond dat hij maar niet meer moest komen als hij er zo door van slag raakte. Wij probeerden ons leven zo normaal mogelijk verder te zetten.

Ik heb er eigenlijk altijd in geloofd dat het wel goed zou komen. En op een heel gekke manier voelde ik me zelfs heel machtig. Heinrich worstelde namelijk met de gedachte dat zijn gedrag de oorzaak was van mijn ziekte.'

Zo heel eenzijdig is het proces dat twee mensen op dezelfde amplitude dwingt nu ook weer niet. En ook opheffing is niets eenzijdigs. Heinrich doet een vluchtpoging, maar de schuld achterhaalt hem. Met de dreigende opheffing kan hij in wezen beter omgaan dan Anja, omdat hij uiteindelijk de frequentie kiest en zijn partner daarmee overlapt. Toch komt hij er ook in terecht, ook hij raakt in die harmonische golfbeweging.

'Inmiddels hebben wij een derde kind.'

Een ziekmakende relatie, echtbreuk en dan toch nog een derde kind? Misschien is de relatie inmiddels radicaal veranderd en verbeterd?

'Hij heeft nog minder tijd dan vroeger. 's Avonds ziet hij ons nauwelijks. Wat de kinderen betreft, doet hij eigenlijk helemaal niets. Ik vraag hem soms in het weekend om de kleine even eten te geven. Dan antwoordt hij: 'Nee, ik heb nu even geen tijd, ik doe het zo wel, binnen een kwartiertje.' Hij zou eigenlijk willen dat de kleine honger heeft als hij tijd en zin heeft. Maar zo werkt dat niet met baby's.'

Klinkt niet heel radicaal anders…

'Of zoals onlangs, toen ik even naar een vriendin wilde. Dat kan alleen als de kinderen in bed liggen. Ik zei tegen Heinrich: 'Zeg, ik wil vandaag even naar Tina'. En hij zei: 'Dat kan niet, ik wil vandaag naar de bioscoop.' Voor de lieve vrede bood hij aan naar de late voorstelling te gaan. Ik kon dus van halfnegen tot halftien weg, net lang genoeg om een blokje-om te wandelen.'

Logisch eigenlijk. Opgeheven frequenties moeten niet met vriendinnen uitgaan.

'Ik weet niet waarom ik dat accepteer.'

Goede vraag!

'Ik kan zijn slechte humeur niet verdragen. En hij gebruikt dat humeur. Hij kan ontzettend chagrijnig zijn, vreselijk. Ik heb een geweldige behoefte aan harmonie.'

Deze woordkeuze zegt voldoende. Anja ziet dit in, intuïtief heeft ze de juiste woorden gekozen. Uiteindelijk maken wij allemaal deel uit van natuurlijke processen en ontwikkelingen en daarom voelen we zo veel natuurkundige regels gewoon aan. 'Een geweldige behoefte aan harmonie.' – Anja merkt dat het hierbij om een gevaarlijk exces gaat. Zij heeft zich in een harmonische golfbeweging laten vangen en bijna laten wegvlakken.

'Een andere twistpunt is mijn auto. Heinrich zegt dat het onzin is twee auto's te hebben en ik zou mijn auto moeten opgeven. Maar ik heb die auto nodig om drie kinderen te vervoeren. En dat ding heeft ook een symbolische waarde. Die auto en mijn handtas zijn de laatste dingen die ik nog overheb.'

Een auto is een bewegingsinstrument. Het is opvallend dat het in dit conflict gaat om de vraag of Anja een zelfstandig bewegingsinstrument mag houden. Onbewust begrijpt Anja dat het voor haar persoonlijkheid wel eens het laatste gevecht zou kunnen zijn, want ze besluit voet bij stuk te houden:

'Sinds kort werk ik weer. In het bedrijf van mijn nicht, die een fotobureau heeft. Heinrich heeft liever dat ik thuisblijf, maar dat wil ik niet. Ik zal voor de zaak op reis moeten en hij zegt dat hij daar zenuwachtig van wordt. Maar ik verheug me erop. Het is ook een kwestie van geld: ik moet eindelijk wat van mezelf hebben en daarvoor heb ik ook eigen geld nodig.'

Hèhè, eindelijk! Copernicus zij dank! De harmonische golfbeweging stevent af op een disharmonische handeling.

Laten wij eens goed naar de rol van Heinrich kijken. Blijkbaar is hij de nietsontziende agressor, de kwaaie pier, de tiran. In werkelijkheid is hij degene die met zijn extreme provocaties uiteindelijk enig teken van leven bij zijn partner veroorzaakt dat haar ertoe aanzet op eigen benen te gaan staan. Echtbreuk? Zij vergeeft hem. Extreme ontoeschietelijkheid? Uiteindelijk vraagt ze hem helemaal niets meer en doet alles alleen. Gevangenschap met drie kleine kinderen en slechts een uurtje vrije tijd? Ze moppert wel, maar is een uur later keurig op tijd terug.

Als Heinrich 'alleen' een objectief doel voor ogen had – van zijn partner een gewillige huisvrouw en moeder en afhankelijke arbeidskracht maken – zou hij er beter aan doen haar in deze rol tevreden te stellen. Maar dat doet hij niet: hij provoceert en blijft provoceren, schendt haar persoonlijke grenzen steeds duidelijker, maakt haar situatie nog onverdraaglijker – tot ze ten slotte, eindelijk, wel *moet* reageren.

Bij het voorbeeld Heinrich moeten we ook voor ogen houden hoe wezenlijk onjuist een dader/slachtoffer-analyse vaak is. Tegen Anja wordt geen kracht gebruikt. Als ze zich eerder had geweerd, was haar niets gebeurd. Wat Heinrich tegen haar heeft ingezet, was hooguit een schijnkracht:

> Schijnkrachten herkent men omdat er geen tegenkrachten voor bestaan.

Anja weet dat ook; ze weet dat ze niet op een of andere objectieve dwang reageert en zich alleen door haar eigen harmoniebehoefte laat leiden. Harmonie: dit begrip verdient tot slot onze bijzondere aandacht. Harmonie is in de omgangstaal een positief begrip. Maar met zulke begrippen moeten wij voortaan voorzichtig zijn. De wetenschap is integer. Maar de literatuur, de omgangstaal, de algemene opvattingen zijn niet op zoek naar kennis. Ze volgen een vooropgezette norm; ze willen een bepaalde toestand teweegbrengen. Onder harmonie verstaan wij doorgaans overeenstemming, goede sfeer, vrede, aangename en lieflijke toestanden. Ruziemaken, verzet, fel zijn eigen mening verdedigen zijn zaken die over het algemeen niet stroken met harmonie.

Anja stelde haar leven met Heinrich onder het motto harmonie. Zij heeft zich alle mogelijke beperkingen en compromissen laten welgevallen, al het mogelijke geslikt. In naam van de harmonie. Maar waar is die harmonie gebleven?
Haar man was bijna nooit thuis. Ze hadden amper nog een huwelijk, laat staan een gezinsleven. Heinrich had een minnares, werkte haast elk weekend, ging liever alleen naar de film, vond haar chemokuur te deprimerend. Is dat harmonie?
Echt de hoogste tijd om afscheid te nemen van zulke onwetenschappelijke begrippen als harmonie en liefde! Ruim baan voor de golfkring en de interferentie!

4. Energiehuishouding

Als je man zijn sokken voor de zoveelste keer in een prop naast het bed laat liggen en zijn handdoek na het douchen nat op de verwarming mikt, heb je misschien het idee dat zulke ruzietjes over huishoudelijke ergernissen en wanorde gaan.

Fout! Deze ruzies gaan over energie.

In wezen voer je namelijk een identieke strijd als Californië met Arizona of Oostenrijk met Slowakije. De sterkere partij – Californië, Oostenrijk en je man – wil de zwakkere partij – Arizona, Slowakije en jou – ertoe brengen energiereserves af te staan. Het is veel gemakkelijker de energieproductie aan anderen over te laten. De andere moet investeren, zich neerleggen bij de onvermijdelijke milieuvervuiling, zijn kracht en hulpbronnen verbruiken en zijn gezondheid op het spel zetten om energie te produceren. De sterkere partij koopt of rooft deze energie en roomt die af. Vaak permitteren ze zich daarbij nog heel wat: Oostenrijk vindt er bijvoorbeeld geen graten in de gevaarlijke kerncentrales in Slowakije te bekritiseren en tegelijkertijd elektriciteit uit Slowakije te gebruiken om de eigen waterkrachtcentrales te sparen. En Californië! Deze staat profileert zich als de grote milieuvriendelijke en alternatieve staat en laat zich intussen door de minder welvarende buurstaat Arizona bevoorraden.

Sokken uit elkaar halen, handdoeken ophangen: dat kost energie. Als jij die energie produceert, kan je man de zijne sparen. En dan gaat het hier nog maar om kleine inspanningen. Ga maar eens na hoeveel energie je in één week, of zelfs maar in één dag, produceert voor andere personen die deze prestaties evengoed met hun eigen energie zouden kunnen leveren.

Als we de uitwisseling van energie beter bekijken, zien we dat *alle mogelijke* intermenselijke relaties achteruitgaan. In het beroepsleven: iemand koopt je energie voor een bepaalde krachtsinspanning. Een team tijdens een seminar: een paar personen bundelen hun energie om het beter te doen. In elke situatie zie je bovendien een geniepige strijd: overal proberen mensen met het werk van andere mensen zelf energie te sparen: de student die altijd de notities van zijn medestudenten leent in plaats van zelf op te letten; de collega die nauwelijks iets aan een project heeft bijgedragen, maar toch in het succes deelt. Zulke mensen kennen we allemaal.

Als je merkt dat er op ontoelaatbare manier van jouw energie gebruik wordt gemaakt, probeer je daar een einde aan te maken. Je kunt:

• dreigen de energiekraan volledig dicht te draaien;
• proberen er een faire prijs voor te bedingen;
• sjoemelen.

Deze strategieën zijn in alle levenssectoren aan te wenden. Op het werk kun je bijvoorbeeld:
• je ontslag indienen;
• opslag eisen die het extra energieverbruik compenseert;
• minder doen, je ziek melden, achter je bureau computerspelletjes spelen enzovoort.

En in de relatie kun je:
• ruziën, scènes maken, onderhandelen om je voorwaarden te verbeteren;
• scheiden of daarmee dreigen;
• niet meer koken, hem enkel nog diepvrieskost voorzetten en in die extra uurtjes die je zo vrijmaakt met zijn creditcard gaan winkelen enzovoort.

Ook in het algemeen kenmerken de drie vermelde strategieën de houding van vrouwen in hun relatie met mannen.

Energiepolitiek heeft altijd hetzelfde doel: men wil de energie van een ander tegen de gunstigste voorwaarden verwerven en de eigen energie als het even kan met winst verkopen of opsparen voor later.

Wij willen allemaal meer verdienen – maar sommigen zijn een kei in het onderhandelen over salarissen, anderen niet. Sommigen zitten in een betere positie vanwege de fundamentele waarde van hun werk. Een vaatchirurg zit in een betere situatie dan een verkoper. Maar een zelfbewuste vaatchirurg met veel vrienden in de ziekenhuisdirectie heeft een betere positie dan een gereserveerde vaatchirurg van Afrikaanse afkomst die niemand persoonlijk kent.

Naast deze subjectieve en praktische feiten speelt ook de filosofie die aan de basis van de desbetreffende energiepolitiek ligt een rol: wat is het doel op lange termijn? Welke waarden worden gebezigd?

Hier zien we bij vrouwen een duidelijk onderscheid, afhankelijk van hun wereldbeschouwing. Zelfbewuste, moderne vrouwen willen een faire en gelijkwaardige energie-uitwisseling. Wat op het vlak van seksualiteit al met succes wordt doorgevoerd, willen zij ook op andere gebieden binnen hun relatie. *Fifty-fifty*, dat is hun doel. Gelijke beroepskansen, gelijke inbreng in het huishouden en ouderschap, even grote inspanningen, evenveel erkenning en een even hoog salaris.

Conventionelere vrouwen zijn bang voor dit doel. Ze vinden het vermoeiend en riskant. Ze geven de voorkeur aan een andere uitwisseling – de traditionele, maar dan wel onder verbeterde omstandigheden. Tegenover de mannelijke prestatiedrang en een aandeel in zijn salaris, stellen zij klassiek vrouwelijke energievormen die tot uiting komen in een gezellig huis en een uitgesproken vrouwelijk voorkomen. In de open progressieve samenleving van nu menen deze vrouwen dat de traditionele rolverdeling ook voor hen mogelijk is omdat afhankelijkheid van de man niet meer zoals vroeger systematisch kan worden uitgebuit. Geweld binnen het huwelijk is strafbaar, mannen verwachten niet meer dan twee of maximaal drie kinderen, en het wasbord doet alleen nog dienst in dixielandbandjes – het ideale moment, denken deze vrouwen, om de conventionele, klassieke energieverdeling tussen de seksen nieuw leven in te blazen.

Een derde groep geeft de voorkeur aan sjoemelen. Ze zijn geëmancipeerd als ze er voordeel uit denken te halen, conventioneel als hen dat beter uitkomt. Waar de traditionele vrouw veel energie verbruikte, zijn zij modern; waar de moderne vrouw aan de slag moet, zijn ze plotseling weer traditioneel. Deze groep openbaarde zich recent in de VS in een bestseller die wij ter hand hebben genomen om de belangrijke strategie van het *sjoemelen* te doorgronden.

De groep vermomt zich als groep twee, als conventioneel. Vrouwen zijn vrouwen en mannen zijn mannen, en elke vrouw wil een grote, sterke man waarop ze kan steunen. Maar tegelijkertijd bouwen ze op de verworvenheden van groep één – en identificeren zich zelfs met hen. De auteur, Laura Doyle, noemt zichzelf een moderne vrouw. Zij vindt dat vrouwen in het openbaar en in het beroepsleven assertief, zelfbewust, succesvol en gelijkgerechtigd moeten zijn. Thuis moeten ze maar in hun vrouwenrol terugvallen, omdat dat de passie en huisvrede ten goede komt. Deze mengvorm bewijst dat er wordt gesjoemeld.

De Engelse titel van het boek luidt *The Surrendered Wife*. In de hele VS zijn intussen vrouwennetwerken opgericht die zich bij deze 'beweging' aansluiten en in 'Surrendered Circles' bijeenkomen om ervaringen uit te wisselen en met elkaar over hun ideeën en gevoelens te praten. Met een partner praat men niet meer over deze dingen. Dat brengt hem in de war en biedt hem te veel informatie.

De originele titel is interessant. 'Surrender' is een militair begrip. Het betekent 'je overgeven aan de vijand'. Grammaticaal kun je deze aanduiding niet als bijvoeglijk naamwoord bij een persoon gebruiken: een eerste aanduiding dat het hier om sjoemelen gaat.

Laura Doyle stelt in dit boek een licht geactualiseerde methode voor – op zich een betrekkelijk oude methode die vrouwen met regelmatige tussenpozen steeds weer uitproberen – om vrouwelijke energie te sparen en mannelijke energie af te tappen. Haar boek geeft dus een energiepolitieke aanzet, maar wel een heel foute.

Veel vrouwen identificeren zich meteen met de grondpremisse van het boek: vrouwen, denkt Doyle, zijn over het algemeen handiger en verstandiger dan mannen. Ze kunnen veel dingen gewoon beter. Ze hebben meer oog voor details en daarmee ook een beter overzicht.

In een gezin leidt dit ertoe dat ze vrijwel voor alles verantwoordelijk zijn en alles doen. De man, die met gezeur tot meehelpen wordt aangezet, doet een paar halfhartige pogingen, doet het verkeerd of slecht of te laat, wordt daarop aangesproken, trekt zich mokkend terug, en uiteindelijk is het weer de vrouw die het doet.

Op een gegeven moment is ze boos en doodmoe.

Het zou fair zijn als hij zijn deel op tijd, vrijwillig en goed zou doen. Maar zo werkt het niet, stelt Doyle, omdat mannen eigenwijs, koppig en egoïstisch zijn.

Nu kunnen vrouwen gefrustreerd de handdoek in de ring werpen en definitief afscheid nemen van deze lastige mannen. Maar dat willen de meeste vrouwen nu ook weer niet. Vrouwen willen ondanks alles met mannen samenleven, omdat ze mannen in zeker opzicht toch gezellig vinden en troost putten uit hun aanwezigheid, omdat ze met hen willen slapen en omdat mannen wel heel goed zijn in geld verdienen.

Het doel is dus mannen ertoe bewegen hun rol als voornaamste kostwinner te behouden. Ze moeten daarnaast wel het beroep van hun vrouw ten volle respecteren, maar mogen geen aanspraak maken op hun salaris, en bovendien moeten ze in het huishouden en in de opvoeding het leeuwendeel voor hun rekening nemen.

Dat is een grandioos, aantrekkelijk, en tegelijkertijd natuurlijk unfair doel, dat dus ook alleen met unfaire middelen kan worden bereikt. Unfaire middelen richten zich op de zwakke plekken, op het tere punt van de tegenstander. Wat is het tere punt van mannen? Hun ego. Mannen zien zichzelf graag als sterk, superieur en dominant. Als je hen dit gevoel kunt geven, ben je in staat hen te manipuleren en hun energie voor jou te laten werken.

Nu is ook duidelijk waarom het boek heet zoals het heet. Als de titel zou luiden: *Hoe je domme, incompetente mannen ertoe brengt eindelijk hun luie kont te bewegen*, dan zou de methode die in het boek uiteen wordt gezet vermoedelijk op weinig mannelijke medewerking kunnen rekenen. Nu is de boodschap veel verleidelijker: vrouwen willen zich overgeven en onderwerpen aan een sterke partner – 'mmm, welja schat, daar valt over te praten'.

Maar terug naar de energiepolitiek van Doyle. Haar these luidt: het is beter als de man meer werkt (ook al doet hij het slecht), dan dat de vrouw alles perfect doet, zich daarbij halfdood werkt en bovendien nog een slechtgeluimde kerel in huis moet dulden die geen zin in seks heeft. Conclusie: geen kwaliteitseisen meer, geen goede raad, niet snel te hulp snellen, maar ogen dicht en hem laten doen, zoals altijd.

Hij wil de verkeerde afrit nemen op de snelweg, je ziet het en je kent zelf de juiste weg? Zijn vergissing zal je heel wat kilometers en extra reistijd kosten? Maakt niet uit – je zwijgt, bewondert het landschap en plant de volgende leuke afspraak met je vriendinnen. Hij pakt voor een omelet de verkeerde koekenpan, die pan waar altijd alles in aanbrandt? Je verdwijnt uit de keuken en gaat met een tijdschrift op de bank zitten. Zitten er gaten in al zijn sokken? Ooit zal hij het wel merken en zelf de weg naar de winkel vinden. Trouwens, hoe weet je dat? Denk liever aan die winkel om de hoek die volgende week uitverkoop houdt. Hij zal van zijn eigen fouten leren en het afleren je te zien als dat competente manusje-van-alles.

Ook de mentale energie wil Laura Doyle omleiden. In plaats van aan hem en zijn verlangens te denken, moet een vrouw zich alleen nog over haar eigen welzijn druk maken. Hij heeft voorgesteld zaterdagochtend op de kinderen te passen zodat jij kunt gaan sporten? Blijkt dat hij de kinderen voor de televisie zet en hen bij wijze van ontbijt een pak chocoladekoekjes geeft 'omdat ze dat zo graag wilden'? Oké, je vertrekt zonder commentaar naar de sporthal; de kleintjes zullen het wel overleven. Wat moeten we van deze energiepolitiek denken?

Er vallen twee dingen over te zeggen. Ten eerste gaat het hier om een methode die, zoals gezegd, al vaker beproefd is. Kennelijk zonder succes, anders zouden wij allemaal bevallig met onze wimpers knipperend in paleizen wonen en ons door de mannen, aan wie wij ons hebben 'overgegeven', laten bedienen.

We willen hier kort twee voorbeelden van deze methode aanhalen. *De getemde feeks* van Shakespeare is niets anders dan de toneelversie van deze methode. De slotscène brengt de ruil waartoe Kate besluit duidelijk tot uitdrukking. Omdat zij haar man het gevoel van dominantie geeft door zich te voegen naar de hiërarchie, biedt hij haar een luxeleven zonder werk en inspanningen – vrouwelijke carrières waren toen immers nog geen optie.

Jaren geleden maakte de inmiddels alweer lang vergeten, maar kortstondig beroemde Marabel Morgan furore met haar boek *The Total Woman*. Dit boek stelde dat vrouwen hun mannen met seksuele verleidingstrucks warm zouden moeten houden. Zo zou men de echtgenoot van wie men iets gedaan wilde krijgen, 's avonds in cellofaan gehuld aan de voordeur moeten begroeten. Volgens bepaalde geruchten was de shock bij de mannen zo groot dat veel vrouwen met de levensverzekeringspremie een zorgeloos leven in het zonnige zuiden konden opbouwen.

In elk tijdperk duikt de methode opnieuw op, maar veroorzaakt meestal weinig ophef en verdwijnt algauw weer uit beeld, naar onze mening omdat sjoemelen geen solide basis vormt voor een energieprogramma. Wij kunnen wel begrijpen dat het idee steeds weer opduikt en ook steeds weer aantrekkelijk lijkt. Natuurkundig is dat gemakkelijk te verklaren. Het heeft te maken met een fenomeen dat je misschien als een psychische en lichamelijke uitputtingstoestand kent en zich laat terugvoeren op het proces van energieverlies door wrijving.

Dit fenomeen manifesteert zich het opvallendst als je een andere persoon – bijvoorbeeld een schoolkind – moet aanzetten een prestatie te verrichten, zeg zijn huiswerk. Jij moet aan deze taak denken en die andere persoon daartoe aanzetten. Dat kost energie, maar nog niet zo veel. Wel als de andere persoon moedwillig niet luistert, wegloopt, zich verzet, niet wil, zijn papieren kwijt is, de opdracht is vergeten, geen potlood kan vinden. Nu kost het behoorlijk meer energie om al deze hindernissen te overwinnen. Je werkt tegen weerstand. Die weerstand veroorzaakt wrijving. Die wrijving verslindt vaak veel meer energie dan het werk zelf rechtvaardigt.

Liefde is fysica

Omgekeerd ken je misschien uit je beroep of privé-leven situaties waarin je harmonisch en gedreven met een tweede persoon hebt samengewerkt. De werkverdeling is haast vanzelf ontstaan, ieder heeft gedaan wat hij/zij het beste kon, je hebt elkaar wederzijds geholpen en stelde daarbij een enorm enthousiasme vast. Jij en je beste vriendin hebben met veel plezier de woonkamer behangen, jij en je moeder hebben gezellig met z'n tweetjes jam gemaakt, jij als tekstschrijver en een fotograaf hebben samen een prachtige reportage gemaakt en vulden elkaar daarbij perfect aan – dat is een wonderbaarlijk gevoel. Jullie energie heeft zich wederzijds versterkt.

De verdeling van de taken rond huishouding en opvoeding tussen mannen en vrouwen verloopt zelden harmonisch. Ook in moderne huishoudens zijn de verantwoordelijkheden niet duidelijk verdeeld, in plaats daarvan wordt er ruziegemaakt. De elegantste oplossing voor dit conflict ligt voor de hand en de meesten weten ook hoe het moet, maar lang niet iedereen staat ervoor open. Mannen en kinderen bieden weerstand en veroorzaken wrijving, en de vrouw krijgt tegen haar wil weer de rol van hoofdverantwoordelijke toebedeeld. Zij moet het werk verdelen en als haar dat niet lukt, moet ze het zelf maar opknappen. Ze moet de energie van de ander aanspreken en als die weigert, moet zij haar eigen energie aanwenden.

Zolang iedereen zijn bijdrage levert, gaat er geen energie verloren:

> In een geïsoleerd systeem is de totale energie constant. Energie gaat niet verloren en ontstaat niet opnieuw, maar treedt alleen in verschillende vormen op.

Maar wrijving ontstaat heel snel: het kind dat zijn blokken niet wil opruimen, de man die het oud papier moet wegbrengen (maar niet nu: straks). Je moet het kind uitleggen waarom het die blokken moet opruimen en waarom nu. Uiteindelijk doe je het samen en raap je het meeste zelf op. Bij de man moet je na een half uur de vraag nog eens herhalen, terwijl de gang intussen al vol dozen staat. Dat is allemaal wrijving. Energie gaat verloren en dat is een extreem frustrerend gevoel. Voor dit energieverbruik krijg je niets in de plaats: de energie is gewoon weg, verspild. Die wrijving kun je zelfs lichamelijk voelen: je voelt je 'uitgeput'.

Op een bepaald moment is de verleiding groot om wrijving te vermijden. Je raapt zonder iets te zeggen de blokken zelf op. Je zet die dozen oud papier zonder mopperen zelf bij de voordeur. 'Ik zal het zelf maar doen, da's een stuk gemakkelijker.' Deze zin is bijna het levensmotto van de gestreste, drukbezette, moderne vrouw.

Shakespeare, Morgan en Doyle bieden hier een uitweg: je slooft je niet meer uit, maar laat het werk ook gewoon liggen. Je geeft het doel van een fair en gelijkwaardig partnerschap op, je gooit deze principes overboord en sjoemelt.

Waarom duikt dit idee nu juist op dit precieze moment op? Omdat er een impasse is ontstaan: hoe het *zou moeten* zijn weet iedereen, maar concrete, reële stappen worden er niet gezet.

Even catastrofaal en verbitterd is het beeld van mannen dat naar voren komt uit de beschrijvingen van Doyle. Berusting is inderdaad de belangrijkste motivatie voor vrouwen om de strategie van het sjoemelen te kiezen. Ze gelooft er gewoonweg niet meer in dat hij nog een echte partner kan worden. Het gaat er alleen nog om wie wie het doeltreffendst uitbuit. De vrouw simuleert een 'schijndood' om hem uit zijn tent te lokken. Dan is hij er geweest.

In dit opzicht krijgen mannen eigenlijk hun verdiende loon als ze met de koelbloedige manipulatietactiek van de berekenende vrouw worden geconfronteerd. Want veel mannen hebben er inderdaad een gewoonte van gemaakt even schaamteloos te manipuleren en sjoemelen.

Gewoon slim zijn – gewoon man zijn

De houding van veel mannen in het gezin en in het huishouden volgt een duidelijke strategie om eigen energie te sparen en de tegenpartij tot buitensporig energieverbruik te dwingen. Om daarna met andermans veren te pronken: met het mooie huis, dat ze niet zelf hebben ingericht en schoongemaakt, met de geweldige ontvangst, waarbij zij niet hebben gekookt of opgediend, en met die fantastische kinderen, die zij niet hebben opgevoed. En dat, lieve mannen, is evengoed gesjoemel.

De methoden van mannen om zich te onttrekken aan enige fatsoenlijke inbreng in het gezin kwam in de interviews uitvoerig aan bod. Sjoemelen met energiepolitiek gebeurt door heel eenvoudige dingen ostentatief 'niet te kunnen' of 'niet zo goed te kunnen als jij, schatje'; door de dingen steeds weer uit te stellen, hoewel ze precies weten dat ze niet kunnen worden verschoven, dat de vrouw zeker ongeduldig wordt en het zelf

Liefde is fysica

doet; door voortdurend hulp en aanwijzingen te vragen tot het voor de tegenpartij echt te gek wordt en zij het liever zelf doet dan dat de zaken helemaal misgaan of onhandig worden aangepakt. Voor elk van deze methoden kregen we honderden voorbeelden van onze verschillende gesprekspartners.

'Jij kunt dat beter schat'

Het begint er al mee dat bijna 70 procent van alle jonge vaders – dit zijn cijfers uit een enquête die wij begin 2001 in opdracht van luiermerk Pampers in samenwerking met het Gallup Institute hielden – zich er niet voor geneert te verklaren dat hun vrouw de baby beter kan verschonen en ook beter de fles kan geven dan zijzelf. Dat zijn twee vaardigheden die godbetert geen enorm talent eisen. De moderne vader zegt niet dat hij die dingen niet kan of wil doen – dat zou niet geloofwaardig en ook niet aanvaardbaar zijn – maar hij houdt vol dat hij die dingen sléchter doet. Daarmee is de trend gezet dat bij deze taken, als beide ouders aanwezig zijn, de vrouw er weer voor opdraait. Eigenlijk is deze tactiek, die wij als 'klungeltactiek' zouden kunnen omschrijven, verwant met de 'onderworpenvrouwtactiek'. Als een man zich niet te goed voelt om de gedweeë echtgenoot te spelen, kan hij via deze weg energie besparen.

'Ik zal het doen, maar nu even niet'

De man van Elke haalde haar over vier kinderen te krijgen, omdat hij zelf uit een groot gezin kwam en dat ideaal vond. Vier kinderen, dat betekent veel werk. Als Elke in het weekend hulp nodig had, weigerde Thomas dat niet – dat had hij ook niet kunnen hardmaken – maar zijn antwoord luidde steevast: 'Nu even niet, binnen twintig minuten.'
Laat je een stinkende baby twintig minuten liggen? Laat je een krijsende peuter twintig minuten in de hoge stoel op zijn prakje wachten en het andere bij het eten toekijken? Natuurlijk niet – dus deed Elke het liever zelf, woedend, waardoor ze nog meer energie verbruikte. Elke ging steeds minder vragen en Thomas bespaarde zich zelfs steeds vaker de moeite zijn standaardzinnetje op te dreunen. Hij behield de pure, volle energie.

'Hoe lang moet die spaghetti koken?'

Veel mannen zien het als een sportieve uitdaging bij een eenvoudig iets – dat ze niet willen doen – zo veel mogelijk vragen te stellen en constant hulp te vragen.

Een simpele pan spaghetti biedt mannen massa's mogelijkheden. Om te beginnen is er de vraag welke pan het geschiktst is – die kleine, lage pan misschien? Dan is er de vraag hoe je de hoeveelheid bepaalt – kijk 'ns, schat, voor vier personen, kom eens gauw kijken, wat denk jij, *zo* veel? De spaghetti in kokend of in nog koud water – hoe moest het ook alweer? Zout in het water of niet?

De vrouw die op dit moment de aanwijzing kan verbijten dat je beter een eetlepel olie aan het water toevoegt omdat de spaghetti dan niet gaat kleven, verdient een onderscheiding. Wie deze wijze raad eruit flapt, is reddeloos verloren en laat zich weer in de rol van het alleswetende manusje-van-alles dwingen.

Terug naar onze hypothetische keuken. De spaghetti kookt inmiddels, maar wanneer is de pasta gaar? Die moet toch *al dente* zijn, niet? Maar hoe weet je dat? 'Ik vind de spaghetti nog een beetje te hard, maar wat denk jij, liefje?' Om het water af te gieten zijn minstens twee, liefst drie personen nodig. Heb jij de spaghettitang gezien? Welke borden moet ik pakken: platte of diepe? Hoeveel denk je dat ik Manuel moet geven – is dit voldoende?

En over de saus hebben we het nog helemaal niet gehad: die biedt nog oneindig veel meer mogelijkheden voor onwetendheid en onkunde. In de magnetron opwarmen of op het vuur? In het potje laten of in de pan doen? Op het vuur? In wat voor pan dan? Ineens over de spaghetti gieten of bedient iedereen zichzelf? Hebben wij Parmezaanse kaas? De rasp, jaja, hoe ziet zo een ding eruit? Lepels en vorken op tafel of alleen vorken?

'Natuurlijk, ik kook vandaag zodat jij je artikel kunt afmaken. Maar wat zal ik koken?' Wie hoopvol spaghetti met saus uit een potje voorstelt in de veronderstelling dat dit een beginnersgerecht is, onderschat de vindingrijkheid van mannelijke energiespaarders. Spaghetti kiezen, leidt tot tien à vijftien onderbrekingen en verzoeken om advies. De vrouw zal de volgende keer wel twee keer nadenken voor ze probeert spaarzaam met haar energie om te springen.

Een mogelijke reactie op sjoemelen is zelf sjoemelen. Maar dat is niet de beste respons. In het beste geval ontstaat er een sjoemelspiraal tot de regels van de fairplay helemaal met voeten zijn getreden en er alleen nog twee grommende vechtersbazen tegenover elkaar staan. Naast het feit dat het tegenwoordig absurd is om uit opportunistische bewegingen een onderdanige positie voor te wenden, is dat ook de reden waarom de methode van de berekenende vrouw niet werkt. Die kan alleen functioneren als de vrouw met een domkop is getrouwd, maar alle andere mannen hebben dit spelletje meteen in de gaten.

De berekenende vrouw doet altijd precies wat ze wil en denkt uitsluitend aan zichzelf. 'Ik ga vandaag met mijn vriendinnen weg, ciao!' roept ze haar man achteloos toe terwijl ze de deur achter zich dichttrekt. Ze vraagt hem niet of hij voor de kinderen kan zorgen, of hij het goed vindt, of hij zelf plannen heeft, maar stuift gewoon weg in de overtuiging dat hij in zijn capaciteit als grote chef en familieopperhoofd alles probleemloos kan managen.

'Ik zou zo graag een groot huis hebben', zou de berekenende vrouw met een vleiend stemmetje kunnen zeggen, en de man zal zich in zijn mannelijke eer aangesproken voelen om deze wens en alle andere meteen met toewijding en extra werk in vervulling te laten gaan. Een nieuwe auto, een leukere vakantie, ze hoeft maar te kikken – zij het nooit in de vorm van kritiek, hem heel terloops laten voelen dat hij geen echte man is als hij dat niet voor elkaar krijgt.

Is dat realistisch? Daarover hoeft zij zich geen zorgen te maken: dan moet hij maar een beetje harder werken. Maar kan je mannen echt gewoon door hun ego een beetje te strelen, omvormen tot een menselijk tafeltje-dek-je?

5. Mannen volgens de wet van het impulsbehoud

Waarom een elastische botsing in de liefde beter is dan een onelastische botsing

Je leeft met een man samen. Je bent oorspronkelijk gevallen voor een of andere eigenschap – daarom leef je ook met hem samen. Inmiddels hou je van hem of je bent tenminste aan hem gewend geraakt en hebt veel in hem geïnvesteerd. Je wilt geen nieuwe – je weet niet of die wel bestaat en waar je hem kunt vinden – en hebt geen zin om nog eens helemaal van voren af aan te beginnen.

Helaas zijn er een paar dingen in je relatie die je minder bevallen. Je merkt dat er een paar negatieve patronen zijn ingeslopen. Dat ergert je. Soms voel je je heel ongelukkig, maar dan verman je je weer. Het komt allemaal wel goed! Je schrijft die storende dingen toe aan iets van voorbijgaande aard. Hij heeft veel stress. Hij is nog jong en onvolwassen. Hij weet zelf nog niet hoeveel hij van je houdt en hoe hard hij je nodig heeft. Hij moet eerst nog dit examen afleggen, dat project afwerken, die promotie krijgen en dan valt de druk van hem af en wordt het allemaal anders.

Je wacht. Misschien doe je ook iets. Je past een of andere vrouwelijke tactiek toe. Je argumenteert, dreigt, verklaart. Je probeert de storende dingen te negeren en er gewoon mee te leven. Je dost jezelf en/of je huis uit om hem aan je te binden en te 'domesticeren'. Je maakt hem jaloers. Je krijgt een kind. Maar in eerste instantie wacht je. Je wacht tot je verschillende grote en kleine interventies vrucht afwerpen.

Bij vrouwen van gemiddelde leeftijd die door kinderen, gemeenschappelijke aankopen en een volledig verweven leven aan hun partner zijn gebonden, begrijpen wij dit geduld ergens wel. Maar het zijn niet echt die feitelijke noodzaken die vrouwen in foute, onbevredigende relaties vasthouden.

Het is – je vermoedde het al – veel meer hun onbegrip tegenover fundamentele natuurkundige principes. Dat zien wij goed bij vrouwen die nog geen externe noodzaken hebben en toch dezelfde fout maken, namelijk:

Ze willen hun partner of de regels van het samenleven met hem veranderen, maar beseffen niet dat dat onmogelijk is zonder kracht.

> De kracht is het quotiënt van de impulsverandering en de tijd waarin deze verandering zich voordoet. (Tweede stelling van Newton, het actieprincipe.)

Van beide onderdelen – impulsverandering en tijd – brengen deze vrouwen alleen de tijd in en wel in de vorm van eindeloos, geduldig wachten. Ze proberen veranderingen door te voeren met de middelen die wij hierboven hebben beschreven. Maar deze functioneren niet en kúnnen ook niet functioneren, want:

> De verandering van de inwendige energie van een thermodynamisch systeem is gelijk aan de algebraïsche som van de uitgewisselde warmte-energie en de uitgewisselde mechanische energie.

Toch zal uit de volgende voorbeelden blijkt dat er in deze relaties geen *uitgewisselde* energie voorkomt. Er is sprake van eenzijdig energieverbruik, waarbij de vrouw warmte-energie en mechanische energie op een onevenredige manier aan haar partner afgeeft. Ze bemint, zorgt, maakt zich zorgen om de relatie, spant zich in voor een gemeenschappelijk sociaal leven, organiseert het huishouden, plant de toekomst. Dat alles in een duidelijk eenzijdige verhouding. Ze denkt lineair: deze dingen moeten gebeuren en als hij het niet doet, doe ik het maar voor ons beiden. Maar dat verandert niets aan de inwendige energie van de relatie. Die verandert alleen op basis van een uitwisseling, en wel een evenwichtige, faire, en gelijkwaardige uitwisseling. De ene kan de andere niet meeslepen. Dat leidt er alleen toe dat zij zich volledig geeft, geen kracht meer heeft en zelfs niets meer kan waarmaken.
Als je in zo een systeem zit, rest je één treurige waarheid: zonder inbreng van je partner zal er niets veranderen, wat je ook doet. Je kunt op je hoofd gaan staan. Je kunt de gedroomde perfectie worden. Je kunt in een hysterische furie veranderen. Je kunt tien kinderen krijgen, Thais

Liefde is fysica

leren koken, de *Kamasoetra* instuderen. Het helpt niets. Er zijn grenzen. Je kunt, hoe je het ook aanpakt, alleen jouw helft van het systeem dragen. Als er geen gelijke uitwisseling is, zal het systeem niet functioneren in de zin van een evenwichtig, gelijkwaardig systeem.

Laten we beginnen met Sabine. Ze is 21 en studeert (helaas geen fysica):

'De relatie van mijn ouders heb ik als kind als harmonisch ervaren. Toen ik zestien was gingen ze echter uit elkaar: mijn vader heeft moeder voor een jongere secretaresse verlaten, het klassieke geval.
Sinds die pijnlijke scheiding zegt mijn moeder vaak dat ik me nooit moet laten uitbuiten en me niet afhankelijk moet opstellen, en ook dat ik financieel geen stap terug moet doen voor een man of voor zijn carrière. Ik heb het zelf meegemaakt: op een gegeven moment is zo een brave huisvrouw en moeder die alles voor een man doet te saai voor hem en zoekt hij iets anders. Mijn moeder waarschuwt me vaak, maar eigenlijk pas sinds ze dit zelf heeft meegemaakt. Zij hield van hem en werd de hele tijd verblindt door de liefde.
Ik woon nu met mijn vriend samen. Hij is binnenkort klaar met zijn studie en heeft al een fulltimebaan. Ik studeer alleen en heb dus meer tijd, ben meer thuis, en dus zorg ik voor het huishouden, het koken enzovoort. Op dat vlak doet hij niets. Hij betaalt me er wat voor en dat bedrag is oké voor mij, al kan hij zich daarvoor zeker geen werkster permitteren. Ik hoop dat het betert als hij klaar is met zijn studie.
Zijn pluspunten? Dat is een moeilijke vraag. Hij is heel evenwichtig, kan ik misschien zeggen, een verstandsmens. Hij remt me af als ik heel emotioneel ben, als tegenwicht doet hij mij goed. Maar het is ook een minpunt dat hij geen gevoelsmens is, of veel te weinig. Daarom begrijpt hij vaak mijn problemen niet, ziet hij niet wanneer het slecht met me gaat. Ik weet dat ik hem op dit moment veel meer geef dan hij mij, ook qua tijd, maar ik denk dat ik nu even moet doorbijten en dan wordt het beter. Ik ben verliefd op hem geworden omdat hij er heel goed uitziet, charmant, altijd vrolijk. Hij is ook een beschermend type, altijd sterk, rustig, nuchter.
Over tien jaar wil ik graag een leuke job hebben, bijvoorbeeld als verzorgster in een tehuis voor gehandicapten. Ik wil graag een gezin en kinderen. En ik wil dat Matthias verandert en ik het belangrijkste word in zijn leven. Maar dan moet ik eerst zelf veranderen. Het is mijn doel

onafhankelijk te zijn, maar op dit moment kan ik niet zonder hem leven; ik kan niet alleen zijn. Zodra ik dat kan, heb ik ook een drukmiddel, kan ik hem vragen te veranderen, omdat ik anders weg ben. Nu kan ik dat niet en dat weet hij. Dat is heel gemakkelijk voor hem. Maar deze situatie is niet zijn schuld: ik doe alles min of meer vrijwillig omdat ik hem nodig heb, omdat ik bang ben hem te verliezen.

Als ik verander en hij niet, kan ik me goed indenken dat ik over tien jaar een andere man heb of alleen ben, maar ik hoop toch op een toekomst met hem. Maar zo als het nu gaat, kan het niet eeuwig duren, dat hou ik niet vol.'

Dit gesprek heeft veel akelige aspecten.

Dat Sabine niet de parallel kan trekken tussen haar eigen relatie – waar ze uit liefde vrijwel voor niets voor de man werkt – en het identiek op dezelfde manier opgebouwde lot van haar moeder, dat ze zichzelf met een werkster vergelijkt en haar waarde zelfs nog lager inschat, dat zijn slechts enge bijkomstigheden. Dat een 21-jarige vrouw die een verantwoordelijk beroep nastreeft zich zo optie- en hulpeloos beschouwt, is verbijsterend.

Vatten we het als volgt samen: Sabine woont samen met een man van wie ze met veel moeite een paar goede eigenschappen weet op te noemen. Eén eigenschap eigenlijk. Ze gaat ervan uit dat de relatie in de eerste plaats gemakkelijk voor hem is en zij totaal van hem afhankelijk is. Eenentwintig, zelfs nog niet getrouwd, zonder kinderen, en ze spreekt nu al met de berustende woorden van een oudere huisvrouw en moeder: ze wil doorbijten, wachten, hopen. Waarop? Dat hij 'verandert'. Ze hoopt dat het beter wordt – op basis van welke feiten?

'Matthias', zegt ze, 'is een beschermend type.' Dat is mooi, maar waarop baseert ze die beschrijving? Hoe en wanneer beschermt hij haar? 'Uitbuiter' is een veel betere term om hem te beschrijven. Maar Sabine wil onvoorwaardelijk naar hem opkijken en op hem kunnen steunen. Daarom knutselt ze met de eigenschappen 'sterk, rustig, nuchter' een figuur in elkaar waarvan ze steun verwacht.

Als iemand in het eerste jaar van een relatie, op de vrij stressvrije leeftijd van een student, in het volledige bezit van een jeugdige gevoelshuishouding en jonge passie al geen moeite doet, tja, dan ziet het er vrij somber uit voor later.

Kijken we nu eens naar Annette, ook 21. Zij studeert sociale wetenschappen.

'Ik ben nu twee jaar samen met mijn vriend, wij leven allebei op kamers. Wel zijn we elke avond, elke nacht samen, bij mij of bij hem. Ieder is verantwoordelijk voor zijn eigen studentenkamer. Koken doen wij samen. Voor de toekomst hebben wij afgesproken dat wie meer thuis is, ook meer in het huishouden doet. Als hij echt leraar wordt, zal hij waarschijnlijk vaker thuis zijn en meer doen.
Ons sociale leven is vrij evenwichtig. Wat we in onze vrije tijd doen, naar de bioscoop gaan of uit eten, gebeurt altijd op mijn initiatief. Ik ben ook altijd degene die een discussie begint, als iets mij niet zint bijvoorbeeld. Voor hem is het altijd gelijk, of beter gezegd: hem zint alles wel.
Wat me bij hem aantrok is dat hij zo anders is dan andere mannen. Hij is geen machotype dat zich per se moet bewijzen, hij laat zich niet door een groep inpalmen, maar heeft wel veel vrienden. Die vrienden roken bijvoorbeeld allemaal, hij niet. In vergelijking met mij is hij heel gelaten en rustig: ik ben eigenlijk een brok energie, hij remt me dan weer af. Maar het is eigenlijk ook een minpunt dat hij mij vaak te veel wil afremmen. Hij heeft ook veel geduld met mijn gemopper en zo, dat stoort hem niet.
Onze ruzies gaan eigenlijk altijd over voetbal: hij speelt zelf, kijkt naar elke wedstrijd op tv, gaat naar elke wedstrijd kijken… Daarover hebben wij vaak ruzie. Ik wil niet dat hij dat opgeeft, maar het mag zijn leven niet bepalen. En dat wil hij niet inzien.
Voor mij is het op dit ogenblik heel belangrijk dat we elkaar elke dag zien, ook al wonen wij niet samen. We plannen een gemeenschappelijke toekomst en dan is het goed vooraf onze dagen samen door te brengen, het alledaagse leven samen te beleven. Dan zie je of je echt bij elkaar past. Het is een test voor ons latere leven samen. Ik vind het belangrijk alles te weten over het leven van mijn partner, hem door en door te kennen.
Mijn volgende doelen? Komende zomer ben ik klaar met mijn opleiding en dan wil ik een leuke baan zoeken. Ik zou heel graag in een sociaal project meewerken. Het kan zijn dat we volgend jaar gaan samenwonen.
Over tien jaar wil ik graag één of twee kinderen hebben. Tegen die tijd willen we getrouwd zijn en een mooi huis hebben.
Ik ben mentaal heel afhankelijk van hem, ik kan me op dit moment geen leven zonder hem voorstellen. Maar dat is nu geen probleem, want het

gaat goed tussen ons. Als dat niet zo was, was dat misschien wel een probleem voor mij, denk ik.'

Ook hier valt weer dezelfde, traditionele rolverdeling op: de vrouw werkt aan de relatie, denkt na over de relatie, wil de relatie beter en hechter maken, wil praten over de relatie. Zij wil alles over haar partner weten. Zij is 'mentaal afhankelijk van hem' – een beklemmende uitdrukking, zeker als wij het object van haar afhankelijkheid bekijken. Waarvan is hij afhankelijk? Van voetbal. Zij is een 'brok energie', hij 'remt haar af'. Ja, hij remt haar af, een formulering die ons de oren doet spitsen, vooral omdat we die ook al in het vorige gesprek met Sabine zijn tegengekomen. Is het echt een daad van liefde, een goede zaak, de ander af te remmen? Moet je de persoon van wie je houdt niet eerder stimuleren?

Aansluitend laten we Franziska – 22 jaar, ook studente – aan het woord.

'Mijn ouders werkten allebei, mijn moeder voor halve dagen.
Voor het koken en schoonmaken zorgde mijn moeder alleen. Ze was vaak ontevreden, ze wist niet hoe ze alles moest combineren en was onhebbelijk tegen mijn vader en tegen ons. Mijn vader is uiteindelijk naar zijn vrienden gevlucht. Dit was zeker geen goed voorbeeld, niet van mijn moeder en niet van mijn vader.
Toen ik met mijn vriend ging samenwonen, was mijn moeder eerst heel bezorgd. Ze was bang dat ik in de klassieke vrouwenrol zou worden geduwd of me zou laten drukken in de rol die haar was toebedeeld.
In mijn eigen relatie zijn de rollen aanzienlijk beter verdeeld, we studeren allebei en hebben ongeveer evenveel tijd, hij moet meer voor zijn studie doen dan ik, maar ik werk ook nog. Bernd zorgt bijvoorbeeld voor de vuilnis – want dat haat ik, ik gruwel daarvan – en ik strijk. Het huis aan kant maken, doen we samen.
Op sociaal vlak komt alles min of meer op mij terecht, hij heeft haast geen vrienden, heeft die ook niet nodig. Voor mij hoeft dat ook niet elke dag, maar als ik er zin in heb, ga ik gewoon zonder hem weg, met vrienden en vriendinnen. Naar de bioscoop of uit eten gaan, vrienden uitnodigen, gebeurt alleen op mijn initiatief en dat ergert mij. Hij is weliswaar meestal bij en is het met alles eens, maar hij begrijpt niet dat ik het leuk zou vinden als *hij* eens iets bedacht en stappen ondernam. Hij

denkt dat het voldoende is dat hij erbij is, dat is bij wijze van spreken toch al genoeg inzet.

Ik geef ook altijd de aanleiding voor discussies, want voor hem is altijd alles best zoals het is; hem stoort haast nooit wat. En hij begrijpt vaak niet dat ik met bepaalde dingen een probleem heb.

Wij maken vaak ruzie over futiliteiten, hoewel het al beter gaat. Neem nu de GFT-bak. Ik vind het verschrikkelijk als dat ding propvol zit en alles rot en stinkt. Vroeger mopperde ik daar vaak over en vroeg ik hem elke keer die bak leeg te maken, maar ik heb ontdekt dat hij het toch niet sneller doet, hoezeer ik me ook opwind. Integendeel, het irriteert hem en hij wordt boos omdat ik zo truttig ben. Die dingen probeer ik nu gewoon te negeren en dat lukt me steeds beter. Want het alternatief is dat ik het zelf doe en daar pieker ik niet over, geen sprake van.

Wat ik echt fijn vind bij hem is dat hij een gevoelige man is. Hij is heel emotioneel.

Wat me stoort, is zijn inschikkelijkheid. Hij verlaat zich helemaal op mij, ik ben voor alles verantwoordelijk. Hij toont weinig eigen initiatief. Ook al zijn onze huishoudelijke taken verdeeld, ik moet hem toch steeds weer alles vragen. Kun jij alsjeblieft niet even stofzuigen en dit en dat, want rommel of geen rommel, het stoort hem absoluut niet.

Ik vermoed dat ik over tien jaar nog met hem samen zal zijn, maar ik weet het niet zeker. Ik wil me door hem van niets laten afhouden, maar een toekomst met hem lijkt me realistisch. Hopelijk hebben we dan beiden een goede baan, een leuke en uitdagende job. Ik wil graag kinderen, één of twee, ik denk ook dat hij een heel goede vader zal zijn omdat hij zelf nog zo jongensachtig is.'

Dit klinkt ons in eerste instantie nieuw en goed in de oren. De huishoudelijke taken worden verdeeld. De vriend wordt niet als mannelijke rots, maar als fijngevoelig wezen beoordeeld. Franziska plaatst zich niet in de positie van een hulpeloos, verliefd schepsel dat al op haar 22ste afhankelijk is van haar partner, maar toont hier en daar haar onafhankelijkheid: het huwelijk is blijkbaar niet zo belangrijk voor haar, ze wil zich 'door hem van niets laten afhouden'.

Maar bij nader inzien gaat die vlieger toch niet op. Theoretisch doet Bernd evenveel in het huishouden, maar in de praktijk saboteert hij deze flinterdunne redenering. Hij maakt geen ruzie over het principe van het meewerken, maar dwingt zijn partner tot belachelijk gehakketak over dingen als overvolle, stinkende GFT-bakken. Bernd gedraagt zich net als de emancipatieschuwe mannen van vorige generaties: hij doet zijn paar taken slecht, moet er altijd weer aan worden herinnerd, stort zich in de rol van de onwillige helper. Daarmee bereikt hij drie dingen:

Ten eerste draait hij de situatie *de facto* om. Hij schuift met het principe: in werkelijkheid zorgt hij dat de verantwoordelijkheid voor het huishouden op de schouders van Franziska terechtkomt. Zij 'ziet' wat er moet gebeuren, zij organiseert en verdeelt en plant. Zo gebeurt alles op 'haar' verzoek: zij wil dat hij wat doet en als hij het uiteindelijk ook doet, dan is dat 'voor haar'.

Ten tweede bereikt hij dat het huishouden als iets triviaals wordt beschouwd. Die dingen vallen hem helemaal niet op. Zij zit te mieren over stof en vuil, zijn gedachten zitten ergens geheel anders, in edelere, hogere sferen. Als ze hem vraagt voor de GFT-bak te zorgen, dan gebeurt dat omdat ze kleingeestig en 'truttig' is.

Ten derde heeft hij het voor elkaar gekregen dat ze zich terugtrekt. Nu al heeft hij haar zo 'gedresseerd' dat ze hem voor die bak met rust laat. Ze heeft geleerd dat het niets uitmaakt hem op zijn taken in het huishouden te wijzen. Wedden dat het Franziska algauw te bont wordt en dat ze zelf voor de GFT-bak zal zorgen? En binnen korte tijd zal de GFT-boycot zich uitbreiden naar andere domeinen – totdat zij steeds meer en hij steeds minder doet.

Dit is een heel effectieve tactiek. Als de vrouw gedwongen wordt voor elke kleine moeite, voor elke centimeter te strijden, steeds weer, ontstaat er ten slotte een situatie waarin deze ruzies haar niet meer rationeel lijken. Het is eenvoudiger hem met rust te laten en nog eenvoudiger om het zelf te doen.

Overigens: er is geen reden waarom de vrouw zo een 'strijd' niet zou kunnen winnen. De uitslag wordt uitsluitend bepaald door wie het grootste uithoudingsvermogen heeft. Toch is dit meestal de man, omdat de vrouw sneller boos wordt en op haar terrein vecht, niet op het zijne. Ze laat toe dat er gevochten wordt om dingen die haar comfort en normen aantasten.

Pas als het om zijn comfort gaat, om dingen die belangrijk zijn voor zijn levenskwaliteit, kan ze scoren.

Ook op andere gebieden van hun samenleven is Bernd een absoluut typisch geval. Naast het huishouden zijn ook vrije tijd en een sociaal leven vrij energie- en tijdrovende bezigheden. Vriendschappen onderhouden, culturele manifestaties uitzoeken, reizen plannen, dat kost veel inspanning.

De strategie van Bernd is erop gericht zo min mogelijk mechanische energie of warmte-energie in te brengen.

Veroordeelt hij zich daarbij niet tot een leven in een verstoord systeem? In zekere zin natuurlijk wel. Maar hij doet het toch omdat het energie-politieke nut van zijn strategie in eerste instantie heel aantrekkelijk lijkt. Ten tweede doet hij het omdat hij niet echt in dit systeem leeft. Voor zijn partner vormt het samenleven het primaire systeem. Maar hij gaat uit van een andere waarde. Wie weet wat hij als zijn primaire systeem beschouwt? Zijn beroep en zijn carrièreplannen? Misschien beschouwt hij zichzelf als een gesloten systeem dat er alleen voor hem is, dat alleen zijn nut en energiepolitiek dient.

Mannen als Bernd hebben in elk geval ingezien – hun partners daaren-tegen willen dit meestal niet toegeven – dat hun relatie geen authentiek thermodynamisch systeem vormt. Het biedt hen wel de mogelijkheid energie voor eigen gebruik te exploiteren.

6. Philipp of de teloorgang van de wiskundeheldin

Philipp is 43, groot en sportief. Het is een vriendelijke kerel, maar tegelijkertijd heel dominant: hij wordt niet graag tegengesproken. Juist daarom voelt hij zich zo onzeker over de situatie waarin zijn huwelijk is beland. Zijn vrouw is er emotioneel onderdoor gegaan en heeft zich zo aan zijn consequente, logische planning onttrokken. Het is typerend dat hij dit met medicijnen wil oplossen: dat is een poging het probleem te verzakelijken, een poging om het naar een 'mechanisch' plan te tillen, een plan waar hij zich beter thuis voelt.

Philipp heeft met een collega zijn eigen postorderbedrijf opgericht. Hij is getrouwd met Elfi, 41 jaar oud. Ze hebben samen een dochter van 14. Hij vertelt:

'Je overvalt me met dit interview. Ik zit in een fase waarin ik zelf niet precies weet wat er mis is. Ik ben normaal niet gauw onzeker. Ik ben altijd mijn eigen weg gegaan, wist altijd wat mijn mogelijkheden waren. Ik acht mezelf tot veel in staat.

Met Elfi ben ik eigenlijk al het grootste deel van mijn volwassen leven samen. We hebben elkaar leren kennen tijdens onze studie. Ik studeerde aan de technische hogeschool, zij studeerde wiskunde. Wij vormden al vroeg een paar. Ze was toen een van de weinige vrouwelijke wiskundigen en dat vond ik nou net zo leuk aan haar. Ik wilde altijd al een slimme vriendin. Elfi viel me op omdat ze een modieuze bril droeg. Ze zag er zo superintelligent uit, dat vond ik heel sexy. Ze was ook een geëmancipeerde vrouw, maar niet in de negatieve zin van mannenhaatster, maar geëngageerd. Zij confronteerde professoren, wist altijd wat er speelde en op dat punt benijdde ik haar. Ik ben niet zo een vlotte prater, zij wel. Ik kan me nog herinneren hoe ze in een auditorium voor 200 mensen in het kader van haar scriptie, haar standpunten verdedigde. Er waren maar twee vrouwen bij, voor mij was ze gewoon een supervrouw. Ze was eigenlijk niet in mannen geïnteresseerd en dat kon ik haar niet echt kwalijk nemen; aan de universiteit zat ze de hele dag lang in een mannenwereldje en was waarschijnlijk blij als ze 's avonds wat rust had.

Maar ik ben er toch in geslaagd haar te benaderen. Ik heb dat heel effectief aangepakt: ik richtte een werkgroep op.

Ze was een heel ijverige studente en sloot zich al snel aan. Zo werkten wij in de weekends altijd samen. Ik ging graag mountainbiken, zij kende die sport toen nog niet en alles wat ze niet kende, maakte haar nieuwsgierig, dus ging ze mee. Op een gegeven moment viel ze en opeens lag ze in mijn armen. Het was perfect, precies als in een film.

Wij waren jong, vrolijk en vol vertrouwen, wij zijn gaan samenwonen – uit financiële overwegingen gingen we een studentenkamer delen, we sliepen sowieso toch meestal bij elkaar. Zoals de meeste anderen van onze generatie zijn we gewoon in het samenleven gerold, heel soepel. Dat was normaal.

Toen kwam het moment dat ik bij een grote firma in dienst trad. Ik was twee jaar vóór haar klaar, ik verdiende heel goed en dat vond ik fantastisch, temeer omdat ik uit een eenvoudig milieu kom. En daar stond ik opeens aan het einde van de maand met een heleboel geld in mijn handen. Het was een fantastisch gevoel en ik wist dat ik verder wilde, carrière wilde maken.

Op privé-vlak wilden Elfi en ik hetzelfde: een gezin stichten. Wij wilden binnen afzienbare tijd twee tot drie kinderen hebben. Daarom leek het me niet zo verstandig theoretische wiskunde te volgen, een opleiding waarmee ze alleen voltijds zou kunnen werken en niet echt een gezinsvriendelijke baan zou kunnen vinden. Ik heb haar overgehaald – en dat verwijt ze me nu nog steeds– de lerarenopleiding wiskunde te volgen. Waanzin eigenlijk, als je bedenkt hoe getalenteerd ze was, ze was een van de besten van haar jaar.

Daar heb ik helemaal niet bij stilgestaan en het was eigenlijk ook een zelfzuchtig besluit. Maar het paste bij onze plannen om een gezin te stichten. Waarschijnlijk bleef haar geen andere keuze dan ja te zeggen. Wat was het alternatief? Wachten met kinderen, allebei een voltijdse baan? Ik weet het niet. Van mijn kant was het een duidelijke keuze voor het gezin. Ik zei haar dat ik met haar samen wilde zijn, dat ik met haar wilde trouwen en kinderen wilde hebben en dat wij ons leven dus in die zin moesten organiseren. Ze hoefde van mij niet thuis te gaan zitten. En een baan als wiskundelerares op een middelbare school, daar is toch niks mis mee?

In het begin ging alles goed, wij begrepen elkaar goed, wij hebben ons gezin opgebouwd. Elfi werd zwanger van Kordula. Het was een vermoeiend kind, maar gelukkig kon Elfi 's middags bij haar zijn. Het was financieel een hele dobber geweest zijn als we haar verzorging uit handen hadden moeten geven. Ze had astma, ernstige angstaanvallen, ze was een extreem gevoelig kind, vlak na de geboorte al. Als baby had ze al last van huiduitslag en dat was zorgelijk, vreselijk. Dat was helaas ook de tijd dat ik vaak afwezig was omdat het in de firma ging om 'er zijn of er niet zijn' en er natuurlijk met name in de onderste regionen van de onderneming werd gesnoeid. Je moest keihard knokken om je hachje te redden. Het is me gelukt, maar het eiste me volledig op en dat had natuurlijk gevolgen voor de situatie thuis.

Wij hebben een huis gebouwd in een buitenwijk van Wenen, met een zwembad en alles wat een mens nodig heeft, en ik heb dat allemaal gedaan voor het gezin, voor de kinderen die we wilden hebben. In de hele planningfase heeft Elfi een geweldige job geleverd, ze is daar heel goed in. We hebben veel geld gespaard omdat zij het hele proces op zich heeft genomen naast haar werk en naast haar kind. Ik bewonderde haar verschrikkelijk want ze werkte harder dan menig hooggeplaatste chef in onze onderneming. Ze heeft het allemaal – mét school en mét kind – in drie jaar volledig klaargespeeld. Ze was in die periode eigenlijk heel vrolijk, ze heeft mij heel vaak ontzien: in het weekend mocht ik uitblazen. Zelf moest ze 's zaterdags lesgeven en dan paste ik 's morgens op de kleine, maar 's middags kon ik gaan tennissen of squashen.

's Zondags ging ik vaak bij vrienden langs, eigenlijk niet zozeer voor mijn eigen plezier, maar omdat het belangrijk was voor de zaak. Wij gingen bergbeklimmen en bespraken onderweg informeel dingen die met het werk hadden te maken. Elfi was met het kind bij vriendinnen die kinderen van dezelfde leeftijd hadden. De jaren verstreken, Elfi kreeg twee miskramen. Dat had ook invloed op de sfeer binnen ons gezinnetje, omdat we ons plan van meerdere kinderen niet konden verwezenlijken. Dat grote huis met die leegstaande kindervleugel was dan ook niet zo bevredigend en toen de kleine naar school ging, werd de situatie helemaal kritiek.

Elfi had weliswaar genoeg te doen – zij gaf 's middags bijlessen en was heel geliefd omdat ze alles zo goed kon uitleggen – maar ze miste de uitdaging. De lessen kostten haar absoluut geen moeite en ik merkte dat ze ontevreden werd: dat uitte zich in stekelige opmerkingen en kleingeestige jaloezie. Op zeker moment confronteerde ze me met haar besluit het lesgeven op te geven en iets anders te zoeken.

Toen ging het er echt om spannen. Een collega en ik waren het erover eens dat wij de dingen die we voor het concern deden eigenlijk evengoed zelf konden doen en meer geld konden verdienen, omdat de winsten dan op onze rekening terechtkwamen. Het was allemaal heel opwindend en wij voelden ons jong genoeg om nog één keertje onze kans te wagen. En mijn vrouw wilde graag meewerken. Zij heeft het niet zo rechtstreeks gezegd, maar het wel duidelijk te kennen gegeven. En ik wilde dat niet: ik wist dat het een hectische periode zou worden en het was onmogelijk mijn vrouw daarbij te betrekken. Ik vond dat ze maar ergens anders moest beginnen, het liefst had ik gehad dat ze het gewoon wat rustig aan zou doen; wij hadden geld genoeg. Ze moest van het leven genieten, uit het onderwijs stappen. Je kunt elk moment herintreden, wiskundeleraressen zijn schaars. Ik deed haar dit voorstel en tot mijn verrassing zei ze ja. Voor mij kwam dat goed uit, want ik zat toch al tot over mijn oren in het werk. Ik werkte ook in het weekend en mijn vrouw en kind zag ik alleen 's nachts.

Elfi was zo lief 's avonds altijd te wachten tot ik thuiskwam, en dat was zelden voor tien uur, dan aten we nog een kleinigheid of dronken nog iets en dan viel ik doodmoe in bed. Ik heb de signalen niet gezien... Ze heeft een tijdlang van alles en nog wat gedaan, gesport, verschillende initiatieven gesteund en zich voor dingen ingezet. Ze heeft me daar vast over verteld, maar ik kan me niets concreets herinneren; ik probeerde zelf met alle mogelijke middelen het hoofd boven water te houden. Ik moest me waarmaken en in de virtuele handel is veel mogelijk. Het is ons ook gelukt: op dit moment wil onze oude firma ons overnemen en dat is natuurlijk een gigantische overwinning. Wij hebben nieuwe marktaandelen verworven en in ons bedrijf geïntegreerd.

Wat me niet is opgevallen: Elfi is in die tijd heel ongelukkig geworden. Ze stond niet meer voor de klas, was de relatie met collega's kwijt en had in plaats daarvan kennelijk alleen contact met vrouwen die allemaal ontevreden waren omdat ze weinig of helemaal niet werkten. In deze groep hoorde ze eigenlijk helemaal niet thuis. Ik heb haar vriendinnen af en toe vluchtig ontmoet, ze waren altijd netjes uitgedost, iets waaraan Elfi nooit veel waarde heeft gehecht.

Op een bepaald moment werden er van onze rekening fikse bedragen voor therapie afgeschreven, terwijl ze me nooit had verteld dat ze onder behandeling was. Ik vond het oké, al was het wel gek dat ze mij er niet in had gekend. Ze reageerde vrij agressief: ze vond dat ze al genoeg had

bijgedragen en nu niet moest rechtvaardigen waaraan ze geld uitgaf. Deze lichtgeraaktheid was nieuw voor mij. Het ging er helemaal niet om dat ze zich moest rechtvaardigen; ze kon gewoon over de rekening beschikken. De overschrijvingen ten gunste van die praktijk waren me gewoon opgevallen – dat zijn geen normale dingen, dat valt gewoon op. Het verontrustte me dat ze plotseling zo agressief en gevoelig reageerde. Ik ging met haar mee en de therapeut leek mij heel bekwaam. Hij vond dat we in een gecontroleerde situatie maar eens alles moesten vertellen wat ons stoorde. Ik stond perplex omdat mij eigenlijk helemaal niets stoorde. Pas toen ging ik me ergeren aan dingen. Ze sprak me constant tegen, maar ik begreep niet wat ze eigenlijk van me wilde. Ik heb alles gedaan, heb voor mijn gezin gezorgd, heb van haar nooit verlangd dat ze aan de inkomsten zou bijdragen omdat we genoeg hadden, en toch was ze totaal ontevreden. Ze verweet mij dat ik haar belet had zich te ontplooien. Ze had een grote carrière kunnen hebben. Mogelijk, maar was dat zo zeker? Oké, ze was een heel indrukwekkende studente, ze was zeker ook een stuk beter dan ik omdat ze er zo hard voor had gewerkt. Dat moest ook in die tijd. Technische en wiskundige vakken waren toen nog een vrijwel volledig mannelijke aangelegenheid en zij heeft die uitdaging heel sportief aan-genomen. Dat geef ik allemaal toe. Maar dit is toch een beetje te kort door de bocht. Ze zegt dat ik haar leven heb verprutst en haar verhin-derd heb iets geweldigs met haar talenten te doen.
Ze had gewoon niet mogen opgeven, al waren we het er toen over eens. En ten tweede kan ze toch nog altijd wat doen. Ze is een jonge veertiger, de wereld staat nog voor haar open. Zij is nooit helemaal opgehouden met werken, zij heeft de vakliteratuur altijd bijgehouden en is helemaal up-to-date. Dat ik haar niet in mijn bedrijf wilde hebben, spreekt ook voor zich. Dat zou unfair zijn geweest tegenover mijn partner, die heeft ook geen derde persoon binnengebracht, laat staan zijn echtgenote. Dat zou het teamwork niet ten goede zijn gekomen
Ik zou het haar niet kwalijk nemen als ze vandaag weer gaat solliciteren en alles inhaalt wat ze heeft gemist. Als ze dat wil, moet ze dat zeker doen. Dat zou de algemene levenskwaliteit binnen ons gezin verhogen en meer rust brengen. Ik vind het stilaan onverdraaglijk met iemand samen te leven die alles negatief en slecht vindt. En die aanslepende therapie biedt volgens mij na een jaar ook niet het beoogde succes. Het zou toch langzamerhand bespreekbaar moeten zijn de depressie met medicijnen aan te pakken. Als gesprekken niets opleveren, zou men de

therapie misschien kunnen aanvullen met medicatie en het probleem op een bredere manier behandelen. Ze blijft maar zeggen dat ze haar kansen heeft verkeken en 40-jarigen niet meer aan de bak komen. Ik kan dat niet inschatten. Oké, het klopt, bij ons in de onderneming is het moeilijk om zo laat nog in te stappen, anderzijds moet ze niet meteen bovenaan beginnen. Ze kan zich toch opwerken?

Ik zou nu veel dingen anders doen. Ik zou me niet voor 1000 procent op de onderneming storten, dat was zeker ook fout tegenover mijn dochter. Wij hebben weliswaar een goede relatie, maar ik kan soms moeilijk een gesprek met haar aanknopen. Er vallen vaak lange stiltes en dan groeit er iets van onbehagen. Ik voel dat ze van me houdt, maar soms is de stemming tussen ons zo gespannen dat ik paranoïde aanvallen krijg. Dan denk ik dat mijn vrouw haar voor zich heeft gewonnen en mijn dochter zich nu ook tegen mij keert.'

Bij een serieschakeling van weerstanden is de totale weerstand gelijk aan de som van de afzonderlijke weerstanden.

'Ik hoop voor Kordula dat zij het anders doet. In alle oprechtheid wens ik haar een andere man toe dan een man als ik. Als ik nu nog een weekend vrij neem, heb ik de indruk dat ze mijn aanwezigheid niet meer op prijs stellen. Het is echt ironisch. Nu hebben wij tijd, geld, wij hebben alles, en ik sta daar en merk dat er niet op zo een aanbod wordt ingegaan. Ik voel me afgewezen en onrechtvaardig behandeld. Tenslotte heb ik alles voor óns opgebouwd, niet voor mij alleen.

Daarbij heb ik eigenlijk – als ik naar mijn vrienden en collega's kijk – nog geluk gehad. Veel van hen zijn al gescheiden. Elfi was heel fair: zij heeft al die jaren gewerkt en overal voor gezorgd en pas de laatste tijd is die wrok bij haar ontstaan. Ze weet heel goed dat ze een onbevredigende weg is ingeslagen, maar ze verandert er niets aan. Ik was ook ongelukkig op mijn werk en ook niet meer van de jongste toen ik deze start-up begon, maar ik heb mijn kans gewaagd en gewonnen.

Wat houdt haar tegen? Zij heeft nog niet één sollicitatiebrief verstuurd. Het ergert me dat ze zo laks is, dat ze de daad niet bij het woord voegt. Haar ontevredenheid richt zich volledig op mij, maar zelf doet ze niets. Ik kan er niet meer tegen als de grote boeman te worden beschouwd.'

> Toegevoegde energie geldt als positief, afgegeven energie als nega-
> tief.

'Ik zou willen dat alles was als vroeger. Nee, onzin. Natuurlijk heeft zij de behoefte zich los te maken, dat begrijp ik. Maar dan moet ze het nu ook echt doen. Dit duurt nu al twee jaar. Ze moet haar leven weer oppakken. Ik heb geen zin constant als het voorwerp van al haar problemen te worden aangemerkt. *Mea culpa*, ik heb veel fouten gemaakt, maar dat kan ze me niet eeuwig blijven verwijten. Ik was jong en stond volledig achter mijn plannen, zij minder dan ik, en daarom zijn haar plannen niet uitgekomen. Ik haat het beeld van 'obstakel' dat me nu wordt opgedrongen. Het gaat goed moet haar, het is altijd goed gegaan. Nu moet ze gewoon met beide handen die dingen grijpen die haar aanspreken.'

> Een lichaam blijft in toestand van rust of volgt een eenparig recht-
> lijnige beweging, zolang er geen externe krachten op inwerken.
> (Eerste wet van Newton, traagheidsprincipe)

'Ik vind het ook voor Kordula belangrijk een tevreden moeder te hebben. Zij heeft een veel hechtere band met haar moeder omdat ze veel meer tijd met elkaar hebben doorgebracht. Maar dus heeft Elfi ook meer verantwoordelijkheid tegenover haar dochter. Als zij nu het beeld overdraagt van de vrouw die de man aanklaagt, die haar levenstaak alleen maar negatief bekijkt, dan is dat zeker niet bevorderlijk voor de verdere levensweg van onze dochter. Ik zal Kordula helpen iets met haar leven te doen. Meer tegemoetkoming is realistisch niet van mij te verlangen. Ik zal alles doen om mijn vrouw en dochter te steunen, maar de eerste stap moeten zij zelf zetten.'

> In een geïsoleerd systeem is de totale energie constant. Energie
> gaat niet verloren en ontstaat niet opnieuw, maar treedt alleen in
> verschillende vormen op.

Philipp heeft – en dat is doorgaans een typisch mannelijke daad in onze samenleving – de energie van zijn partner in zijn (schijnbare) voordeel aangewend. Elfi had talent en professionele ambities; dat heeft hij omgezet in meer huiselijkheid om zelf de handen vrij te hebben voor zijn eigen carrière. Maar de kracht van de partner blijft constant in een systeem zoals een huwelijk – alleen is deze vrouwelijke energie nu in de vorm van frustratie tegen hem gericht. En dat is geen prettig gevoel.

Het 'geval Philipp' is opmerkelijk omdat wij de gevolgen van het onrechtvaardig omzetten van energie, hier heel precies, stap voor ongelukkige stap, konden aanschouwen. Toen zijn vrouw delen van zijn warmte-energie overnam, raakte Philipp volledig uit balans en wentelde hij zich nog dieper in de mechanische energie van zijn carrièretrip. Toen Philipp Elfi ontlastte van de financiële medeverantwoordelijkheid voor het gezin, ontnam hij haar de mechanische aandrijving en zakte zij nog verder in de richting van de warmte-energie af. Daardoor is hun gemeenschappelijk systeem ziek geworden. Elfi, gefrustreerd en gedeprimeerd, geeft geen warmte meer af, maar is een agressieve koudegenerator geworden. Philipp heeft geen plezier meer van zijn mechanische energie omdat zijn vrouw en dochter hem afwijzen en zijn positie daarmee ter discussie stellen. Ze speelden beiden mee, maar Philipp was de veroorzaker en wordt daarom nu – zoals hij het zelf formuleert – als 'obstakel' gezien.

En er is nog iets interessants. Philipp zette door. Maar in een systeem bestaat er geen winnaar, net zo min als in een auto de bougies het van de accu kunnen winnen.

Als één deel verliest, verliest het hele systeem.

Uit het 'geval Philipp' kunnen we een aantal verhelderende, algemene inzichten afleiden:

Eerste axioma: mannen zijn trots op de prestaties van vrouwen
Dat is het vermelden waard omdat veel vrouwen dat gewoon niet willen geloven. Zij zijn ervan overtuigd dat ze alleen met vrouwelijke zwakheid, alledaagsheid en oppervlakkigheid bij mannen kunnen scoren. Ze denken dat mannen het fijn vinden als vrouwen hen bewonderen en ophemelen, en niet kunnen verdragen dat een vrouw buitengewoon goed is, met name in een 'mannelijke' sector. Daarom geloven ze ook

dat ze zich moeten inhouden en onhandig moeten doen om zich niet de weerzin en agressie van mannen op de hals te halen.

Dat veronderstellen vrouwen van mannen, maar het klopt niet. We hebben mannen ontmoet die ronduit pronkten met een opmerkelijke prestatie van hun vriendin of vrouw. De vrouwelijke topprestaties die enthousiaste jongens en mannen in onze aanwezigheid trots aanhaalden, waren bijvoorbeeld: ze kan fantastisch dribbelen; ze heeft een motorrijbewijs; ze kan met elk computerprogramma werken; zij is goed vertrouwd met militaire vliegtuigen; ze skiet op de zware zwarte pistes. Mannen van alle leeftijden wagen zich aan dergelijke waarderende uitspraken. In een park waren wij er hoogstpersoonlijk getuige van hoe een 13-jarige voetballer een meisje van dezelfde leeftijd prees voor het stoer incasseren van een keiharde treffer tussen de schouderbladen – en dat meisje bloosde gevleid, als ging het om het mooiste compliment. Het zijn vaak de eerder 'mannelijke' domeinen waarin mannen vrouwelijke prestaties roemen omdat ze zich daar goed genoeg in thuis voelen om die prestaties naar waarde te schatten. Deze dingen betekenen meer voor hen en via die gemeenschappelijke interesses ontwikkelen ze een gevoel van nabijheid en verbondenheid met de vrouw. Maar dat verandert niets aan het

Tweede axioma: mannen zijn egoïstisch en vastberaden
Ze kunnen ook welbespraakt en overtuigend zijn. Als een man je iets wil aanpraten omdat het 'voor ons beiden goed' is, dan is voorzichtigheid geboden. Mannen camoufleren hun persoonlijke profijt graag als een gemeenschappelijk voordeel. Wat zogenaamd 'voor ons beiden' goed is, is vaak alleen goed voor hem. Wees dus vooral op je hoede voor uitspraken die beginnen met: 'Liefje, waarom doe je jezelf zoiets aan?'
'Dat heb je toch niet nodig.'
'Jij maakt jezelf alleen maar kapot.'
'Neem het er liever eens van.'
'Voor ons huwelijk/de relatie/de kinderen is het toch veel belangrijker dat jij...'

Met een beetje oefening merk je al aan de intonatie en de formulering dat je man, partner of vriend niet tegen je praat, maar dat een egoïstisch mechanisme het van hem heeft overgenomen. Hij spreekt niet met je: zijn karakterzwakte probeert jouw karakterzwakte iets aan het verstand te brengen.

Mijd in elk geval alle zelfverwijten. Die hebben in de natuurwetenschap niets te zoeken. Mannen zijn op mechanische energie geënt, vrouwen op warmte-energie. Dat maakt mannen vatbaar voor absurde prestatie-drang en vrouwen voor overemotionele zelfverloochening. Deze twee tendensen moeten elkaar in evenwicht houden, mogen elkaar niet versterken.

7. Het element Vaderschap (Pa)

> Wat als warmte-energie aan de omgeving wordt afgegeven, kan soms als verlies van mechanische energie worden beschouwd.

Je vraagt je misschien af waarom wij in dit hoofdstuk uitgerekend Walter opdissen. Walter is namelijk ontegensprekelijk een sympathieke, vriendelijke jongeman. Hij is sociaal geëngageerd en intelligent. En hij heeft ouderschapsverlof genomen, een heel jaar, om het herintreden van zijn vrouw mogelijk te maken en een hechte band met zijn zoon op te bouwen. Echter: zijn versie van ouderschapsverlof is in tegenspraak met wat wij hierover – in de paar schaarse gevallen – meestal te lezen krijgen. In kranten en tijdschriften verschijnen geregeld artikelen over dergelijke vaders en het beeld dat men ons schetst, is in de regel rooskleurig.

Walter biedt ons drie mogelijkheden.

Een: zijn ooggetuigenverslag is allesbehalve rooskleurig. Twee: hij zou het opnieuw doen. Drie: met zijn voorbeeld kunnen we de oneerlijke – en dus uiteindelijk ook onproductieve – dialoog tussen de geslachten over het thema kinderverzorging eens kritisch bekijken:

Het verwekken en grootbrengen van een gemeenschappelijk nageslacht is voor mannen en vrouwen een samenwerkingsproject. Rond deze fundamentele onderneming groeperen zich andere individuele en gemeenschappelijke doelen van economische, sociale, seksuele, psychologische en emotionele aard. Opvallend is dat de planning en bespreking van deze doelen juist die dingen mist die in de zakenwereld als fundamenteel worden beschouwd: eerlijkheid, wederkerigheid en rationaliteit.

Als je met iemand zaken wilt doen, moet je afspraken maken en daarop kunnen vertrouwen. Wil de zakelijke relatie standhouden, dan moeten beide partijen zich iets bij de samenwerking kunnen voorstellen en tevreden worden gesteld. En beide partijen moeten hun doelen en mogelijkheden intelligent en realistisch inschatten.

In aansluiting op Walters verslag zullen wij het erover hebben hoe de man/vrouw-onderneming deze belangrijke principes ontbeert. Waar een openhartige discussie over de feiten zou moeten plaatsvinden, krijgen we trivialiteiten. Verwachtingen vervangen de planning. Met diverse trucs wordt wederkerigheid voorgewend.

Walter is nu zeven jaar samen met Ulrike, hun zoon Rafael is vijf. Beide ouders zijn maatschappelijk werker – Ulrike werkt in de opvang van drugverslaafden, Walter met ex-gevangenen. Daarnaast zit hij in de organisatie van een gehandicaptenproject. Ulrike nam het eerste jaar ouderschapsverlof, Walter het tweede. Hij vertelt daarover het volgende:

'Het ouderschapsverlof was verschrikkelijk. Ik had helemaal geen plan. En mijn persoontje zit zo in elkaar dat ik, als ik geen plan heb, eerst gewoon niets doe, dan nadenk over wat me te binnen schiet en dan doe ik dat. Op het werk of bij je studies werkt dat omdat je toch bepaalde deadlines hebt, maar met het kind was het moeilijk de juiste motivatie te vinden. Je wacht op innerlijke impulsen, maar het kind is een externe impuls. Kinderpraat lag me niet, en ik wilde dat ook niet aanleren. Vooral het levensritme brak me op. Opstaan, flesje maken, voeden, verschonen, het is goed als je daarin een ritme ontwikkelt, anders zou het extra moeilijk en vervelend zijn. Maar ik voelde me ook heel eenzaam. Jaloers zag ik hoe kennissen en vrienden goed met kinderen konden omgaan, ze speelden ermee en je merkte hoe leuk de kinderen dat vonden. Maar mijn doordeweekse dag zag er zo uit: eerst sliep ik zo lang mogelijk. Dan verzorgde ik het kind en was het inmiddels tien uur of halfelf, tijd om na te denken over het middageten. Naar beneden, naar de groentewinkel en geen idee wat ik zou kopen. Ik heb zowat mijn halve leven op een internaat doorgebracht, in totaal tien jaar met het gymnasium, burgerdienst in een tehuis en twee jaar college met internaat. Daar werd het eten me voor de neus gezet en het was oké. Ik was niet gewend na te denken over waar ik vandaag trek in had. Ik kocht altijd heel flauwe dingen. Het kind had weinig trek, geen wonder.
Mijn vrouw had wisselende diensten: ze werkte 24 uur en had dan twee dagen vrij. Dat droeg natuurlijk ook niet bij tot enige routine. Het was altijd de vraag: hoe doen wij het vandaag? Als mijn vrouw er niet was, had ik 's avonds ook geen trek in een warme maaltijd. Als ze nachtdienst had, kwam ze 's ochtends thuis en moest ze slapen, en dan moest ik met het kind naar buiten. In mijn oude vriendenkring had niemand kinderen. Ik ging in mijn eentje met het kind naar het park. Daar zaten

allemaal vrouwen, maar die durfde ik niet aan te spreken. Ik was bang dat ze zouden denken dat ik hen wilde versieren of zo. Uiteindelijk waren er toch twee, drie mensen waarmee ik een praatje maakte omdat ik ze vaker in het park zag. Dat ging altijd toevallig, we spraken nooit af. Ik sloot me als enige man aan bij een groepje moeders. Dat was op zich geen probleem, zij het dat Rafael de enige was die voortdurend huilde. Dat was voor mij zo pijnlijk dat ik er niet meer heen ging.

De nachten waren hard, met tandjes krijgen en krampjes en andere flauwekul, en dus was ik blij dat het kind 's middags een dutje deed. En dat was de volgende vicieuze cirkel. Het kind slaapt 's middags en je wil zelf ook slapen, maar als je dat doet, heb je helemaal geen leven meer. Het zijn de enige uren waarin jij ongestoord nog iets voor jezelf kunt doen. Mijn dag beperkte zich tot chocola en televisie. Ik keek altijd naar een bepaalde talkshow, gewoon omdat ik dan naast het kind nog iets had. Natuurlijk hield ik van mijn zoontje, maar ergens wilde ik toch ook nog andere dingen meemaken. Ik weet precies waarom vrouwen vanaf het tweede of derde kind dikker worden: chocolade is gewoon geweldig, jij kan het meteen eten, zonder de minste inspanning in je mond stoppen, en je kikkert er vrij snel van op.

Ik vergat te plannen. Ik was zo druk bezig de dag door te komen dat ik geen tijd had om na te denken over wie ik nog eens kon opzoeken of wat ik anders nog kon doen. Er waren dagen dat mijn vrouw thuis was en voor het kind zorgde, en ik iets had kunnen doen. Maar dat kost voorbereiding. Na een half jaar merkte ik dat ik helemaal niets meer ondernam. Dat viel me eerst helemaal niet op. Ik was altijd moe, uitgeput en depressief. Toen begreep ik waarom mannen zich dit niet aandoen.

Nu ik erop terugkijk, ben ik toch blij dat ik het heb gedaan. Ik wilde het proberen en nu weet ik hoe het is. Ik begrijp nu wat vrouwen meemaken als ze alleen thuiszitten. Ik weet wat het is om je opgesloten te voelen, want het is mij ook overkomen.

Voor het kind was het zeker goed. Het was ook goed voor mijn vrouw. Zij was als het ware symbiotisch met het kind, zij heeft bijvoorbeeld tot het einde van haar ouderschapsverlof borstvoeding gegeven. Haar werk heeft haar daar voor een stuk van weggetrokken, haar een gezonder evenwicht bezorgd.

Toen hij twee was, ging Rafael naar een onthaalmoeder, daarna naar de kleuterschool en daar zit hij nu nog. Daar kan hij tussen acht en vier terecht. Mijn ideaalbeeld was dat kinderen ook hun vaders van dichtbij zouden meemaken. Ik heb nu ook echt het gevoel dat ik mijn zoon goed ken. Wij kunnen met elkaar praten en hebben een vertrouwelijke band. Ik geloof dat vader en moeder hem even na staan. Hij heeft ons allebei in twee rollen meegemaakt. Voor hem is het ook zeker een reële optie geworden om als man wat met kinderen te doen. Hij is ook heel flexibel. In de relatie is het de vraag wie beroepshalve doorstart. Dat kan wel eens ten koste gaan van het evenwicht. Wie wil veel werken en wat bereiken? Als wij sociaal wat willen bereiken, moet een van ons vol aan de slag. Maar wie? Ik denk dat mijn vrouw liever had dat ik het zou doen, maar ik ben niet zeker of ik de prijs daarvoor wil betalen. Ik heb nog andere interesses. Ik musiceer, organiseer workshops en werk in de gehandicaptenzorg en ons gezin, dat is veel, en daar wil ik niets van opgeven. Ik wil mijn dagen niet met een "baan" vullen. Mijn interesses wil ik daarvoor niet opgeven. Op dit moment verdient zij ook meer.

Tot nu toe hebben wij het werk verdeeld zoals het nu is, en als dat ons niet meer lukt, moeten wij het opnieuw bekijken. Is dat geëmancipeerd? Het is gelijkheid. Er bestaat geen ander principe dan het principe van de overeenkomst. Wij hebben in een cursus geleerd hoe je dingen door onderhandelen tot stand brengt en dat is ook zinvol gebleken in onze relatie. Dat zijn gewoon basiselementen voor het samenleven en die hebben ons heel goed gedaan. Overeenkomen en onderhandelen. Hoe kom ik aan mijn middelen van bestaan? Het probleem bij het onderhandelen is dat je eerst moet weten wat je precies nodig hebt. Ik wist vroeger gewoon niet hoe ik kon zien wat ik nodig had en dat is typisch denk ik. Het belangrijkste is een gericht gewetensonderzoek, een referentie zoeken voor wat je echt wil. En hoe zorg je voor de nodige kracht? Daarna moet je doelgericht denken en gemeenschappelijke doelen formuleren. Sinds die cursus lukt ons dat aanmerkelijk beter.'

Walter formuleerde eindelijk de waarheid: bij je kinderen thuisblijven is een inspannende bezigheid. Het is heel belastend en het stompt je af. Veel tijd met de kinderen doorbrengen is leuk. Al je tijd met de kinderen doorbrengen is gevaarlijk. Onderzoek wijst uit dat huisvrouwen per dag *minder* lang met hun kinderen praten en spelen dan werkende vrouwen. Dat ligt voor de hand: ze zijn afgemat.

De discussie over het opvoeden van kinderen wordt door de geschiedenis heen gekenmerkt door een opeenstapeling van leugens en wederzijdse pogingen tot bedrog:

mannen tot 1800: alleen vrouwen kunnen voor kinderen zorgen, mannen kunnen dat niet. ('Ik wil er niks mee te maken hebben.')

mannen van 1800 tot 1960: moeder zijn is de meest nobele bezigheid voor een vrouw, een moeder verdient hoogachting. ('Liever zij dan ik.')

vrouwen vanaf 1960: kinderen hebben hun vader nodig

vrouwen vanaf 1980: mannen missen iets fundamenteels en fantastisch als ze zich niet met de verzorging van de kinderen bemoeien. Het is unfair mannen deze kostbare, prachtige ervaring te onthouden.

vrouwen vanaf 1990: veel maatschappelijke problemen zijn te wijten aan het feit dat vaders zich niet opvallender engageren. ('Waarom ik altijd? Die kerel mag ook wel eens iets doen.')

mannen sinds 1980: één ouder moet er zeker zijn voor het kind, dat kan in veel gevallen ook de man zijn! Ik zou het bijvoorbeeld graag doen, maar helaas zou het familie-inkomen daar te veel onder lijden. ('Ha! Zolang mannen de wereld regeren, krijgen vrouwen geen gelijk loon. En dus zal het altijd de vrouw zijn die thuisblijft, en niet ik.')

Uit deze cultuurdialoog kunnen we gemakkelijk afleiden dat mannen op dit moment het laatste woord hebben. Niet principieel, maar *de facto*. Als we even terugdenken aan het verhaal van Walter, is het voor beide partijen met betrekking tot de eerste jaren in de verzorging van het kind, aanbevolen de volgende punten in gedachten te houden:

- De rooskleurige, stichtelijke versie van het vaderschapsverlof bestaat net zo min als de rooskleurige, stichtelijke versie van het onbezorgde moederschapgeluk.
- Als ouders het ouderschapsverlof delen, kunnen beiden een tevredenstellend evenwicht tussen familie en beroep instandhouden.
- Eerlijkheid is belangrijk: je kunt de schaduwzijden van het opvoeden openlijk uiten en op de koop toe nemen, net zoals je elders in het leven aanvaardt dat ook aan dingen die welkom zijn een prijskaartje hangt.
- Vrouwen moeten een aantal van hun eigen uitgangspunten en geheime plannen opgeven, bijvoorbeeld het heimelijke plan hun man tot waanzinnig veel geld verdienen aan te zetten.

8. Moeilijke mannen thermodynamisch verklaard

> Energie treedt in verschillende verschijningsvormen op en kan van één vorm in een andere worden omgezet.

Wat doe je met huilende baby's? Je probeert ze af te leiden – je rammelt met een sleutelbos voor hun neus, trekt gekke gezichten, geeft hen een speentje, wijst naar iets kleurigs – alles in de hoop dat ze ophouden met huilen en gaan spelen, lachen, naar een voorwerp grijpen. Als niets, maar echt niets helpt, zet je het kleine kind uitgeput in de kinderwagen, waar het moord en brand schreeuwt, tegen de rugleuning aan bonkt, zijn speen uitspuwt en blijft huilen tot het ten slotte uitgeput in slaap valt.

En wat doe je met drukke schoolkinderen? Je stuurt ze naar het voetbalpleintje waar ze zich eens goed kunnen uitleven. En als je al behoorlijk uitgeput bent, zet je ze voor de televisie of verban je ze naar hun kamer. Dit zijn allemaal pogingen de houding van een andere persoon te controleren door hun energie te breken. Wat deze persoon ook doet, kan doen of wil doen, bevalt ons niet. Daarom laten wij hen iets anders doen of weerhouden we hen er gewoon van iets te doen.

Een tegenstander of rivaal kan bijvoorbeeld alleen handelen als hij/zij over energie beschikt. Om hem/haar te hinderen, proberen wij daarom de energie van de tegenpartij af te remmen en te converteren, of de tegenstander ertoe te brengen deze energie te verspillen. Als de energie van vrouwen wordt geconverteerd en verspild, is dat omdat mannen hen als rivalen beschouwen en hen hinderen. En daar wordt niet echt een geheim van gemaakt: de buitensporige verantwoordelijkheid van vrouwen voor huishouden en kinderen voorkomt dat zij in het beroepsleven en het openbare leven een echte bedreiging voor mannen gaan vormen. De energie van vrouwen wordt op twee manieren verspild als ze:
- een overdreven deel van bepaalde taken krijgen toegewezen en
- voortdurend tot onproductief, onnodig energieverbruik worden aangezet.

Vrouwen hebben inmiddels de eerste methode doorzien en maatregelen getroffen. Ze eisen en krijgen meer hulp van hun partner, hebben minder kinderen en organiseren hun gezin efficiënter.

De tweede methode is subtieler en dus moeilijk te doorbreken. De eerste methode werkt met morele en zakelijke argumenten, de tweede verschuilt zich achter een belofte van plezier, vermaak en creativiteit. Ze lijkt een beetje op de methode van de ouders – die we hierboven aanhaalden – die hun kind een sleutelbos, een koekje of een speelgoedje voorhouden om het van zijn oorspronkelijke wens en wil af te leiden. Vrouwen wordt schoonheid, plezier, ontspanning, zelfverwezenlijking voorgespiegeld om zo hun energie om te zetten.

Veel van wat onder de noemer luxe, meer wooncomfort, schoonheidsverzorging, gezellige sfeer wordt gezet, is in werkelijkheid niets anders dan het streven vrouwelijke energie van één bestaansvorm in een andere om te zetten. In plaats van voor eigen productieve doelen te werken die tot een betere, vrouwelijkere vormgeving van de samenleving zou leiden, wordt de vrouw gedwongen haar energie op een andere manier te verspillen.

Schoonheidsverzorging

Het modeblad *Mademoiselle,* januari 2001. Op de cover zien wij een vrij normale, werkende jonge vrouw met halflang, stijl bruin haar dat ze los draagt. Ze is discreet opgemaakt en *en profile* gefotografeerd. Kennelijk draagt ze een jurk met een open rug, want wij zien blote schouders en een stuk van haar rug. Van de voorkant van haar lichaam zien we alleen een streepje witte stof.

Op bladzijde 110 wordt dan, zoals bij elke nummer van dit blad, het covermodel voorgesteld. 'Achter de schermen' heet de rubriek en ditmaal gaat het om Clare, de jonge vrouw op de cover. Negen kleine foto's illustreren de tekst met de alarmerende kop: 'De waarheid is: zelfs een covergirl kan niet zo uit bed voor de camera.'

Als de 23-jarige om twintig over tien de fotostudio binnenkomt, moet er – zoals blijkt uit het verhaal – nog hard aan haar worden gewerkt. Daar staat een volledig team voor klaar. De negen foto's illustreren haar transformatie. Om ons het vreselijke beeld van een onbewerkte Clare te sparen, laat de eerste foto haar alleen van achter zien terwijl ze onder handen wordt genomen door de kapper. Zijn opdracht: ze moet eruitzien alsof ze net uit bed komt. Of liever, ze moet eruitzien zoals vrouwen er in een ideale fantasiewereld uitzien als ze uit hun bed kruipen. Om deze look te bereiken, heeft de professional 50 minuten met borstels, kam en haardroger nodig.

Maar, hemellief, de styliste heeft een blik op Clares vingernagels geworpen en vastgesteld dat die absoluut ontoonbaar zijn. Er worden kunstnagels op gekleefd, gevijld en gelakt. Gewoon zomaar, kennelijk uit principe, want haar handen krijgen we nergens te zien. De cover houdt bij de elleboog op en ook op de negen snapshots zien wij haar handen niet.

Nu komt de styliste eraan te pas. Na lang nadenken, komen er drie outfits in aanmerking. Clare trekt ze alledrie aan en de creaties worden aan haar figuur aangepast voordat de definitieve beslissing valt. Een heel abstracte beslissing, want ook de jurk krijgen we op geen enkele foto te zien. Ze heeft iets wits aan, meer valt er niet van te zien.

Nu wordt Clare geschminkt. 'Het duurt 45 minuten om Clare de look van natuurlijke frisheid te geven.'

In totaal duurde het dus drie uur om dit professionele model zo klaar te stomen dat ze voor een camera kon verschijnen.

Nu nog die fotosessie en dan komt het 'mooiste moment' van haar werkdag: 'Naar huis gaan en onder de douche alles afwassen.'

Zich beschilderen en uitdossen is een elementaire behoefte van de mens. Zowel in verfijnde beschavingen als in primitieve samenlevingen volgen mensen, ook mannen – soms nog meer dan vrouwen – die drang. Mensen beschilderen zich voor de jacht, om hun vijanden af te schrikken, om de goden te eren, om het object van hun begeerte te verleiden, om hun clanlidmaatschap te bewijzen en om nog veel meer redenen. Daar is niets tegen in te brengen. Maar bij de hierboven beschreven praktijken gaat het om iets anders:

Het gaat om de aanhoudende en onvermoeibare, uitsluitend aan het adres van vrouwen gestelde suggestie dat hun normale toestand ondraaglijk is. Zelfs het frisse, jonge gezicht van een 23-jarig model moet urenlang worden bewerkt voordat het mooi genoeg is.

(Bekijken wij ter vergelijking eens het succesvolle mannenblad *Men's Health*: het is ook hier zaak fitness- en verzorgingsproducten te verkopen. Maar hier zien wij uitdagende, onverzorgde mannelijke modellen die verkondigen dat een man zelfs met een stoppelbaard van drie dagen in een verkreukt oud T-shirt leuk en sexy is.)

Verder gaat het om de mededeling dat die verfraaiing ongemakkelijk en onaangenaam is. Clare heeft na de fotosessie maar één doel voor ogen: de hele troep er zo snel mogelijk weer af wassen. En het gaat om de verontrustende veronderstelling dat vrouwen voortdurend en heel kritisch worden bekeken. Zijn ze niet ergens een detail vergeten? Een ladder? Een vingernagel?

Als Clare acrylschijfjes op haar vingernagels kleeft, wordt zij daar tenminste nog voor betaald. Voor de rest van ons vrouwen is het aangeraden goed na te denken over onze eigen uren en ons energieverbruik: onze gesprekspartners hadden het namelijk vaak over tijd- en energiever(mis)bruik dat absoluut niet in verhouding stond tot hun wensen en verlangens, en hun levenskwaliteit verminderde. Ze lieten zich leiden door een vreemde claim die een betere levenskwaliteit beloofde, maar in werkelijkheid hun levenskwaliteit beperkte – en hen heel moe maakte.

Vrouwen met aanhang merken duidelijk dat ze vaak met kleinigheden worden opgezadeld. De man is verantwoordelijk voor de levensstandaard, de vrouw voor de levenskwaliteit. Dat ze allemaal mooi wonen, netjes gekleed zijn, dat de vrije tijd zinvol wordt besteed, dat feestdagen behoorlijk worden gevierd, dat behoort in de meeste gezinnen tot het takenpakket van de vrouw.

Alles goed en wel. Bij nader inzicht valt echter een interessante tegenstrijdigheid op:

1. Het concept voor levenskwaliteit dat de vrouw met veel moeite voor haar aanhang uitwerkt, is vaak tegenstrijdig aan haar eigen voorstelling.
2. De aanhang, voor wie zij een hogere levenskwaliteit beoogt met dit concept, is niet geïnteresseerd, werkt niet mee of zou met een ander concept gelukkiger zijn.

Misschien wordt dit duidelijker met een paar specifieke voorbeelden.

Woonstijl

Mira is 33 en twaalf jaar getrouwd. Ze werkt zelf deeltijds, maar hun levensstandaard komt op het conto van haar man, manager bij een autobedrijf. Hij is succesvol en dat is ook te zien aan (en te voelen in) hun huis, een huis dat voor Mira steeds minder aan haar wensen of het comfort van haar gezin beantwoordt:

'Bij de inrichting van mijn omgeving is mij veel uit handen genomen. Toen we net getrouwd waren, zijn we bescheiden begonnen bij IKEA, maar later, toen wij meer geld hadden, zei Helmut dat we het nu eens echt mooi gingen maken. Het is ook heel mooi geworden, maar betrekkelijk formeel en stijf. In onze woonkamer staat een besmettelijk, sneeuwwit leren bankstel, er ligt crèmekleurige vaste vloerbedekking, er hangen perzikkleurige gordijnen, alles is kil en licht en overzichtelijk en daarnaast hebben wij nog een glazen salontafel. In de aanpalende eetkamer staan een grote, glazen tafel met stalen poten en met zwaar leder beklede stoelen en er hangt moderne kunst aan de muur. Dat is het woongedeelte.

Als ik hier foto's van zou zien in een woonmagazine, zou ik zeggen: mooi, heel stijlvol, heel smaakvol. Het zag er in het begin, toen de zus van Helmut – ze is binnenhuisarchitecte – dit met ons heeft uitgezocht, ook prachtig uit en ik was er heel blij mee. Maar inmiddels ergert mij de stress met de kinderen: wit is niet meteen de kindvriendelijkste kleur, eigenlijk durven ze de woonkamer niet eens in.

Helmut is een ordefanaat. Als hij thuiskomt en er liggen tijdschriften op de bank, de salontafel of misschien wel op de grond, dan gaat hij, weliswaar niet onvriendelijk, maar zonder een woord te zeggen, die dingen oprapen en op een stapeltje leggen. Ik ervaar dat als een verwijt. Op de een of andere manier verliest het geheel nooit zijn klinische zuiverheid. Op een dag ben ik naar IKEA gereden. Ik kocht vrolijk gekleurde plaids, die ik over de banken heb gedrapeerd, en nog wat kussens om het geheel gezelliger en vrolijker te maken, maar mijn man vond het absoluut wansmakelijk. En ik vind dat gek want ze zeggen toch altijd dat mannen zoiets niet opvalt. Mij wel, maar hij heeft op dit vlak dus heel precieze ideeën. Ik zie het ook als iets symbolisch, want hij heeft in zijn voorkomen ook iets strengs, rigides en dat komt tot uitdrukking in de manier waarop hij leeft; of waarop wij in dit geval leven.

Ik zou het woongedeelte totaal anders inrichten, met een houten vloer waar vlekken en inktspatten geen rol spelen. Ik ben al specialist in het verwijderen van inkt omdat er altijd iets gebeurt, zeker als de kinderen op de vloer hun huiswerk maken. Hij vraagt zich voortdurend af hoe die inktvlekken op de vloer komen. 'Laten jullie die dingen altijd uit jullie handen vallen?' vraagt hij dan heel verbaasd. Als hij zou weten dat de kinderen liggend op hun buik hun huiswerk maken, zou hij sprakeloos zijn. Maar wat mij betreft mogen ze zelfs op hun hoofd gaan staan, als ze hun werk maar maken, wat maakt mij dat nu uit?

Dus zoals gezegd, ik wil een houten vloer die gemakkelijk schoon te maken is, heel gewoon. Ik zou er pluchen banken neerzetten, van die gezellige, ouderwetse pluchen sofa's. En ik wil ook graag een oorzetel en warme verlichting, niet van die designlampen, maar ouderwetse staande lampen met een zijden kap. Ik zou de televisie uit de woonkamer weghalen omdat ik vind dat televisiekijken irritant is en een lopende uitnodiging voor de kinderen. In de eetkamer wil ik zeker geen glazen tafel, dat is mij veel te koud, ik leg er overdag altijd een groot, gebloemd tafelkleed op, maar dat helpt niet veel. Als je met je armen op de tafel steunt, voel je de kilte nog steeds.

Ik kies voor een grote, houten tafel met gemakkelijke houten stoelen waar de kinderen op hun knieën op kunnen zitten. In plaats van de moderne kunst, die monotone, saaie, voor mij nu al haast deprimerende, eenkleurig rode of zwarte schilderijen, zou ik tekeningen van de kinderen inlijsten of posters van tentoonstellingen die ik leuk vind. We hebben al een aantal kindertekeningen ingelijst, maar die mogen alleen in de keuken hangen. Niet dat Helmut zich resoluut tegen mijn ideeën verzet, maar zoals het geheel er nu uitziet, zou het echt niet passen. Het steunt op een ontwerp, op een concept, en daar kan ik niet zomaar iets aan veranderen.

Ik wil ook liever geen marmer in de badkamer, maar gewone tegels, want marmer is waanzinnig besmettelijk. En een bad op pootjes, zo een overgrootmoederbad; wij hebben een vrij koel architectending, een bad gevat in marmer, alles zwart-wit, het ziet er heel 'hotellerig' uit. Het was niet zo duur, maar het geheel doet toch denken aan een hotelbadkamer. De cosmetica, het wasgerei verdwijnt in blinde deurtjes achter de spiegel, en als alles opgeruimd is, lijkt het in de badkamer wel of hier niemand woont, op de elektrische tandenborstels na.

In de slaapkamer staat een *futon* en dat vonden we in het begin heel fijn omdat wij dachten dat dicht bij de vloer slapen aangenaam was. Maar eigenlijk heeft zo'n futon ook iets koels, niets gezelligs, het is een plat ding, waarop ik me op een of andere manier kwetsbaar voel, ik heb liever een echt bed in de hoek, met grote kussens en een bontgekleurde sprei. Ik stel me mijn slaapkamer voor à la Laura Ashley: 'bloemerig'! Ik wil ook graag een kaptafel, die had ik als tiener en daar ik heb ontzettend veel plezier aan beleefd, met naar mezelf te kijken, me op te maken en zo. In onze badkamer vergaat me de zin en meestal maak ik me inderhaast op met een kleine handspiegel in de slaapkamer. Maar een kaptafel past ook niet in dit totaalconcept. De slaapkamer moet er Japans en helder uitzien.

Veel mensen bewonderen onze woning, die is heel modern, hedendaags, maar het is geen echt familiehuis. De kinderkamers zijn de enige kamers waar je je in een hoek zou willen nestelen, ik heb ze heel vrolijk behangen: felblauw met witte biezen en één muur met leuke margrietjes. De kinderen hebben het behang samen met mij uitgezocht en ook de gordijnen, en dus zien de kinderkamers eruit alsof ze eigenlijk niet bij de rest van het huis horen. Als de meisjes naar school zijn, zit ik vaak in de kamer van de oudste te lezen of te schrijven aan haar bureau, aangenamer kan men het zich bijna niet voorstellen. De kinderen leven eigenlijk in hun eigen domein en die sfeer zou ik, als ik alleen was, alleen met hen, uitbreiden over het hele huis.'

Mira verbruikt dubbele energie op het vlak van de woonstijl: ten eerste kost het haar moeite de gezinsonvriendelijke inventaris te onderhouden en de kale, opgeruimde toestand te behouden die bij de huidige stijl van de woning past en die Helmut verkiest. Ten tweede investeert zij verbazend veel energie aan haar alternatief concept. Ze kan haar voorkeurstijl precies beschrijven, tot in de kleinste details met een ouderwets bad en een oorzetel en lampenkappen – daar heeft ze over nagedacht. Soms probeert ze elementen van haar eigen concept binnen te smokkelen of stukken van haar eigen ideeën heimelijk uit te voeren als ze alleen of alleen met de kinderen thuis is. Dan mag er liggend op de buik huiswerk worden gemaakt, dan durft Mira zich in de kinderkamer geborgen te voelen.

Een bijzonder soort gezelligheid

Erika is tolk, getrouwd met een zakenman. De vriendenkring die ze van haar man heeft overgenomen, bestaat uit acht echtparen die in wisselende samenstelling samen dineren. Het zijn allemaal wijnkenners en fijnproevers. Elkaar met geraffineerde menu's overtreffen, beschouwen ze als hun gemeenschappelijke hobby.

Als zij aan de beurt zijn, gaat Erika de dag voordien naar de markt om de ingrediënten voor haar gourmetrecept te kopen. De Aziatische keuken of Italiaanse recepten zijn de trend. Voor ze naar haar werk vertrekt, dekt ze heel luxueus de tafel omdat haar man wil dat ze op deze avonden het mooie porseleinen servies gebruikt, ook al kan dat helaas niet in de vaatwasser.

Sinds de BSE-crisis is rundvlees ongeoorloofd, en kip geldt als *not done*. Die een eet geen lams- de ander geen varkensvlees, dus wordt het meestal een garnalen- of visgerecht, dat helaas pas op het laatst kan worden klaargemaakt. Dus staat Erika voor het eten in de keuken en kan ze zich niet onder de gasten mengen. In de tussentijd drinken de heren cognac en de vrouwen een ander aperitief, en iedereen heeft zich leuk aangekleed. Tussen de gangen moet altijd even worden gewacht, dat is beschaafder. Dan praat men over de kwaliteit van het eten, de kokkin van de dag wordt geprezen, men heeft het over andere memorabele diners en fantastische professionele keukens worden uitvoerig vergeleken. Erika vertelt dat ze soms al halverwege zo een avond, die gemakkelijk vijf tot zes uur kan duren, zo uitgeput is dat ze zelf nog amper kan eten.

De taakverdeling is klassiek: de heer des huizes staat in voor de drank en de wijnen stijgen in de loop van het diner in kwaliteit en jaar – ook dat wordt uitvoerig beoordeeld en besproken. Erika drinkt geen wijn, maar heeft in de keuken meestal een flesje wodka waar ze af en toe een slokje van neemt.

Zelf heeft ze gemengde gevoelens: enerzijds vindt ze het leuk deze avondjes te organiseren, omdat alles er dan zo elegant uitziet en ze zelf wordt bewonderd, anderzijds zit ze zo nu en dan op het randje van een zenuwinzinking en heeft ze zelf weinig aan de avond. Soms heeft ze bij deze gelegenheid wel eens een visioen van een open woonkeuken waar iedereen rond het vuur staat terwijl er iets in een wok pruttelt.

Erika stelt dat ze zelf nooit op het idee zou zijn gekomen dergelijke gelegenheden te organiseren. Dat het toch eerder een mannenzaak is omdat die graag ontvangen, hun geweldige wijnen drinken, en meestal draait het ook uit op wat machoachtig gedoe: tegen het einde van de avond worden de echt goede sigaren bovengehaald en het vergelijken en proeven begint weer van voren af aan. Ze merkt nog op dat de vrouwen dan meestal al half bewusteloos zijn.

Erika denkt dat de organisatie van deze diners een van de belangrijkste dingen is die zij en haar man gemeen hebben. Het gaat weliswaar met name om zijn idee van gezelligheid, van generositeit, van vriendschap, maar voor haar is het ook een soort hobby, en van haar reizen brengt ze interessante nieuwe kruiden uit de hele wereld mee naar huis. Maar het zou leuk zijn als het niet altijd zo een groots opgezet spektakel moest zijn.

Liefde is fysica

Mira en Erika hebben één ding gemeen: ze zijn financieel en sociaal 'omhoog' getrouwd, en beiden zijn zich daar heel goed van bewust. Of liever: ze worden daar door hun mannen vaak aan herinnerd. Beiden zijn bereid qua woonstijl en het onthaal van vrienden de ideeën van hun mannen te volgen en daar ook veel moeite voor te doen.

Vrijetijdsbesteding

Ga op zondag eens naar een plek waar men in je omgeving als 'brave burger' naartoe gaat: het stadspark, de botanische tuin of de 'meubelboulevard'. Wat zie je daar? Veel gezinnen, de kinderen iets netter aangekleed dan anders, mokkend. Kijk eens goed naar die mensen. Zien deze personen er ontspannen uit, lopen ze je vrolijk voorbij, praten ze geanimeerd met elkaar? Heb je de indruk dat deze mensen hier überhaupt uit vrije wil zijn?

Als dit niet zo is, wie kwam er dan op het idee van 'een kleine wandeling met het hele gezin'? De kinderen waarschijnlijk niet, als we van hun stuurse gezichten mogen uitgaan. Misschien was het papa's idee van wat een gezin op zondag moet doen? Nee, het was vrijwel zeker de moeder die met een schijnvrolijk stemmetje het bevel gaf. De moeder die iedereen in zijn jas en schoenen hees. De moeder die zich nu net zo verveelt als de rest, maar die de burgerlijke schijn van een truttige wandeling ophoudt.

De kinderen willen liever bij hun vriendjes spelen. Papa zou liever slapen of televisiekijken. Zijzelf zou liever een tijdschrift lezen. In plaats daarvan slenteren ze allemaal over het asfalt of het modderige pad.

'Mijn man wil dat de kinderen 's zondags thuis zijn', vertelde ons meer dan één vrouw. 'Hij zegt dat hij anders niets aan zijn gezin heeft. En dat klopt ook, want door de week is hij altijd veel te laat thuis. De kinderen mopperen omdat ze liever naar hun vrienden willen. Dan voelt hij zich beledigd. Ik sta in het midden. Ik moet de kinderen uitleggen waarom papa dat wil, en Leo waarom de kinderen iets anders willen. Zo. Dan zitten wij met zijn allen thuis, zoals ons ook werd gevaagd, en dan zegt Leo dat hij even snel een brief moet schrijven voor een cliënt. Dat gebeurt op de computer, en dus kunnen de kinderen niet aan de computer. Ze mopperen, ze mokken, en ten slotte zeg ik Leo dat ik met hen naar het park ga. Dan zegt hij: "Oké, maar niet langer dan een uurtje. Het is zondag en ik wil de kinderen zien." En dan zit hij alweer achter zijn brief.'

Werken aan de relatie

Bij dit thema willen wij niet lang stilstaan. De zwijgzame man die zijn gevoelens niet toont, de vrouw die hem uit zijn schulp wil lokken en over de relatie wil praten, dat is allemaal al honderduit besproken in talloze boeken, handleidingen en discussies. En velen kennen het probleem uit hun eigen leven. Hier kunnen we niets nieuws aan toevoegen. Daarom kiezen we hier de kortste weg naar het relevante natuurkundige principe, en dat luidt:

Warmte of warmte-energie is de energie die van een lichaam met een hogere temperatuur naar een lichaam met een lagere temperatuur vloeit.

De zwijgzame man die nooit zijn gevoelens toont, zelden een blik in zijn innerlijke leven toestaat, treedt – zodra wij hem thermodynamisch bekijken – in een nieuw licht. Als mannen hun levensmotto in één woord zouden moeten samenvatten, dan zou dat het begrip *cool* zijn. Hoe weinig er in thermodynamische zin – misschien moeten we maar meteen thermostrategisch zeggen – is veranderd in de relatie tussen de seksen, kunnen wij uit dit kleine woord afleiden. Cool: dat is wat elke jonge man wil zijn. En elke wat minder jonge man ook, alleen omschrijven ze het dan met een iets leeftijdsgerichter begrip zoals 'alles onder controle hebben'. Cool betekent 'koel' en koel is thermodynamisch geïnterpreteerd een agressieve toestand. Waar warm en koud samenkomen, geeft warm altijd en onvoorwaardelijk warmte af aan koud. Koude geeft nooit koude af om nog kouder te worden.

'Moeizaam.' 'Uitputtend.' Als vrouwen hun inspanningen voor de 'levenskwaliteit' van hun gezin met dergelijke woorden beschrijven, leggen ze onbewust het verband met het begrip energie. En ze snijden zelfs een paar verfijnde principes van de energieomzetting aan. Iets in de zin van:

Wrijvingsenergie wordt als warmte aan de omgeving afgegeven en moet als verlies van mechanische energie worden beschouwd.

Als vrouwen iets als 'uitputtend' beschrijven, dan bedoelen zij hier precies die krachteloosheid mee die ontstaat als inspanningen voortdurend op weerstand stuiten. 'Maak je huiswerk.' 'Nee, nu niet, straks.' Als wij uit een vrouwenmond het afgezwakte 'hoe vaak moet ik je nu nog zeggen dat je...' horen, weten we dat iemand zich tevergeefs verzet tegen het onherstelbare verlies van mechanische energie.

Waarom vrouwen het spel meespelen

Deze vraag dringt zich op en is cruciaal. Tientallen jaren lang hebben vrouwen zich al beziggehouden met de vraag waarom zij zich in hun relaties anders gedragen dan mannen, waarom zij te veel liefhebben, te veel betrokken raken, te veel over het onderwerp nadenken enzovoort. Boeken, zelfhulpgroepen, therapiesessies – en nog altijd is het onderwerp niet van tafel. Waarom niet?

Omdat de houding van vrouwen een thermodynamische oorzaak heeft, gekoppeld aan een sociale oorzaak: het afgeven van warmte maakt energie vrij. Daarom voelt het ook zo goed en worden vrouwen er steeds weer toe verleid emotionele situaties op te zoeken, situaties waarin ze kunnen liefhebben.

Maar opgelet, hier komt het addertje:

> Die omzetting van warmte-energie in mechanische energie gebeurt alleen in aanwezigheid van koeling die het afgeven van warmte-energie mogelijk maakt.

Hier hebben wij de oplossing voor een raadsel dat vrouwen en psychologen letterlijk al jaren bezighoudt. Waarom blijven vrouwen bij mannen die niet even relatiebekwaam zijn als zijzelf? Omdat men een koelere partner nodig heeft om warmte af te geven en energie te kunnen vrijmaken.

Deze 'koelere partner' is in het ideale geval alleen geen man, en zeker niet degene met wie je samenleeft. De beschikbare koeling kan beter een behoefte, een gebrek zijn dat men met gedreven inspanning in balans kan brengen. Daarin ligt bijvoorbeeld de aantrekkingskracht van de 'helpende beroepen' besloten waar we met 'koelere partners' te maken hebben aan wie wij onze grotere kracht en warmte kunnen wijden om met de resulterende energie een zinvolle verbetering te realiseren.

Deze partners zijn meestal niet in staat warmte aan ons af te geven – de zorgrelatie is eenzijdig als wij met hongerige vluchtelingen, zwaar gehandicapte kinderen of drugverslaafden hebben te maken. 'Het is uitputtend, maar ik put ook veel kracht uit mijn werk', zeggen mensen die voor zulke mensen zorgen en zij verbazen zich over die paradox. Dit gevoel is echter helemaal niet paradoxaal, maar thermodynamisch ondubbelzinnig te verklaren. Omdat ze voor hun beschermelingen zorgzaamheid ervaren, komt in hen energie vrij.

Als vrouwen geen overeenkomstig zinvolle taak kunnen of mogen uitvoeren, moeten ze een ander 'koel' voorwerp zoeken. Dat kan een moeilijke, emotioneel gestoorde man zijn, in elk geval ten minste een man die zijn gevoelens niet toont, een echte band weigert en koude uitstraalt. Aan hem kan de vrouw haar warmte afgeven en met de vrijgemaakte energie kan ze dan taarten bakken en met zelfgemaakte aardappelstempels de keukengordijntjes bedrukken. Ze geeft haar energie in een gesloten systeem af aan een ongeschikte koudedrager. Zo word je thermodynamisch gezien niet gelukkig.

9. De man als verloren voorwerp en andere vrouwelijke misvattingen

> Alle lichamen trekken elkaar wederzijds aan.

Veel vrouwen in onze interviews hadden eindelijk 'de ware' gevonden. Maar helaas had hij al eerder iemand gevonden en was hij met deze vrouw getrouwd.

Veel vrouwen in onze interviews ontdekten, meestal op het slechtst denkbare moment – tijdens een zwangerschap of een chemokuur – dat hun echtgenoot een minnares had. Die rivalen hadden niets opmerkelijks: de minnaressen bleken niet bijzonder geraffineerd, scrupuleus of berekenend en ook niet bijzonder leuk of onweerstaanbaar te zijn. De betrokken echtgenotes daarentegen waren doorgaans aantrekkelijk, sympathiek en intelligent. Wij hadden niet de indruk dat je als man dringend voor hen moest vluchten.

Daarom waren wij heel nieuwsgierig naar het mannelijke perspectief in dit verband. Welke man was zo veel opschudding, zo veel grieven, zo veel uren ongeduldig wachten, zo veel hartstocht, zo veel vergeving, zo veel kommer en kwel waard? Hoe organiseerden deze mannen überhaupt hun dubbelleven, en hoe rechtvaardigden ze de half-boze, half-vertwijfelde, onzekere toestand waarin ze niet één, maar meteen twee vrouwen lieten wachten?

Neem nu Fritz, het type zelfbewuste liefhebber. Hij ziet er tien jaar ouder uit dan hij met zijn 43 jaar feitelijk is. Hij draagt een gouden ketting, een verblindende das met te brede strepen, een duur pak en schoenen met een duur logootje. Statussymbolen zijn belangrijk voor hem, dat zie je zo. Zijn aansteker is van goud, het huis heeft een alarminstallatie met camera's, overal staat het vol snuisterijen. Wij treffen hem thuis, want zijn vrouw is aan het kuren en dus heeft hij het rijk alleen. Fritz heeft het installatiebedrijf van zijn schoonvader overgenomen en met succes uitgebreid. Hij is twintig jaar getrouwd met Erika. Ze hebben twee dochters, 19 en 16 jaar oud. Fritz vertelt:

'Erika en ik hebben elkaar leren kennen op de handelsschool; wij zaten naast elkaar in de schoolbanken. Het was een jeugdliefde, maar het werd al vrij snel duidelijk dat wij bij elkaar hoorden, een heel romantische ervaring. Ik heb er toen niet echt bij stilgestaan. Meteen na de school kreeg ik de kans voor het bedrijf van haar vader te werken – hij kende mij via haar. Ik was een ambitieuze man en mijn toekomstige schoonvader vond me sympathiek. Eigenlijk ging iedereen er toen al van uit dat we zouden trouwen. Ook ik wilde graag trouwen, ik heb nooit een echt thuis gekend en hier kreeg ik alles in één keer: vrouw, ouders en job. Toen het eenmaal duidelijk was dat het tussen Erika en mij menens werd, bood mijn schoonvader mij een job in de onderneming aan. Erika werkte daar ook op de boekhouding.

Maar we waren nog jong en ik merkte algauw dat het allemaal te dichtbij kwam en dat ik mijn eigen leven moest leiden. We zijn heel snel in een routine terechtgekomen. Toen de meisjes werden geboren, waren wij allebei nog geen dertig. Ik voelde me echt opgesloten.

Erika werd natuurlijk bijna volledig in beslag genomen door de kleine kinderen. Mijn emotionele relatie met haar verliep haast uitsluitend via de kinderen.

Toen had ik voor het eerst een vriendin, in het geheim natuurlijk. Erika had misschien een vermoeden, maar ze wilde het niet echt weten, denk ik.'
Misschien wilde ze het 'niet echt weten', omdat ze te weinig kracht had om te reageren:

> Om de bewegingstoestand van een lichaam te veranderen, is een kracht nodig. Als er geen kracht op het lichaam werkt, kan zijn bewegingstoestand niet veranderen.

'Ik wisselde betrekkelijk vaak van vriendin, ik zocht ook niets ernstigs; ik wilde mijn gezin niet verliezen. Ik zocht het avontuur, iets opwindends, en natuurlijk ook geweldige seks, want dat was er thuis niet meer bij.
Erika en ik hebben aanvankelijk veel ruziegemaakt, toen zijn wij in een patroon van ruzie en verzoening vervallen. Als ik er nu aan terugdenk, ging het mij er vooral om te ontsnappen aan routine en verveling. Ik voelde me te jong om al zo te worden opgeëist, ook in het bedrijf van

mijn schoonvader, waar ik vrij snel vaste voet heb gekregen. Ik hield me daar bezig met belangrijke technische vernieuwingen. Dankzij mij zijn we nu marktleider bij het midden- en kleinbedrijf.

Toen de kinderen naar de middelbare school gingen, besloot Erika zich uit de onderneming terug te trekken. Dat leek mij toen niet verkeerd, deels omdat ik dacht dat thuis alles beter zou verlopen als ze zich daar volledig op kon concentreren. Maar als ik eerlijk ben, speelde natuurlijk ook de gedachte door mijn hoofd dat ik me nu wat vrijer zou kunnen bewegen. Ze was er anders altijd, controleerde altijd alles, zag iedereen die binnenkwam, nam alle telefoontjes aan, ze had alles onder controle.

Van buitenaf leek het misschien ideaal zo perfect naast elkaar te werken en het familiebedrijf te runnen, maar dat was eigenlijk maar schijn. Erika zat al lang niet meer op mijn niveau; zij heeft zich gewoon niet verder ontwikkeld, is blijven steken en richtte zich voornamelijk op de opvoeding van de kinderen.

Maar ik heb het gevoel dat onze beide dochters haar daar niet onvoorwaardelijk dankbaar voor zijn. Ze stonden altijd heel kritisch tegenover hun moeder en vonden ook altijd dat hun moeder te veel druk en controle uitoefende. Ik heb weliswaar nooit echt veel tijd met de meisjes doorgebracht, maar ik had vaak de indruk dat er, juist omdát ik hen meer vrijheid gaf, een betere verstandhouding tussen ons bestond. Ik was ook veel minder met hen bezig en gaf de kinderen het gevoel dat ik aan hun kant stond en hen serieus nam, terwijl Erika hen veel te veel als kinderen behandelde, als onzelfstandige wezens.

Ik voelde mij ook afhankelijk van de familie als gcheel, aangezien ik met niets in het bedrijf ben gekomen. Ik denk dat er zeker in het begin een belangrijke wanverhouding bestond.

Erika was natuurlijk de sterkere, ze was daar thuis, was de enige dochter, het was het geld van haar ouders, en haar vader heeft mij op weg geholpen in het leven. Op de een of andere manier moest ik me verdedigen en op eigen benen staan om mezelf ervan te overtuigen dat ik een zelfstandig mens was die niet te koop was en een onafhankelijk gevoelsleven had. Misschien dat dat de reden voor mijn affaires was. Het is misschien alsof ik me hier probeer te rechtvaardigen, maar ik ben een emotioneel mens die zijn passie moet uiten. Erika leefde op een eerder conventioneel niveau: alles moest perfect functioneren, alles moest er goed uitzien. Daar is niets op tegen, maar ik had altijd het gevoel, het idee dat ik de tweede viool speelde en zij en haar familie mij volledig in hun macht hadden.

Twee jaar geleden leerde ik Barbara kennen, toevallig. Onze oude belastingadviseur hield ermee op en ik moest een nieuw kantoor zoeken. Ik trof een heel jonge onderneming en Barbara stond aan het hoofd van dat kantoor. Ik was een van haar eerste klanten, ze was volledig nieuw in de business. Ik was meteen diep onder de indruk van deze vrouw: ze is koket, overtuigend, heel ambitieus, ze is het prototype van een jonge, succesvolle carrièrevrouw. Ze is jong, net 28, heeft alle papieren om als belastingadviseur te kunnen werken, heeft alles zelf gerealiseerd, verdient dus alle respect. Toen wij voor het eerst samen onze jaarrekening opmaakten, drie maanden nadat ik haar voor het eerst had ontmoet, heb ik haar uit eten gevraagd. Het verraste me dat ze ja zei. Bij dit diner is, geloof ik, ook meteen de vonk op haar overgesprongen. Die avond is alles gebeurd wat maar gebeuren kon en ik wist dat dit niet zomaar een verliefdheid van voorbijgaande aard was, maar iets bijzonders en buitengewoons. Dat is inmiddels twee jaar geleden en onlangs hebben wij haar dertigste verjaardag gevierd. Er is in deze periode veel veranderd en ik stond voortdurend in tweestrijd.

Mijn vrouw merkte als snel wat er aan de hand was en dat het ditmaal anders was dan bij mijn vorige vriendinnen. Ik trok mijn stoute schoenen aan en zei: "Ja, ik heb een verhouding, ik kan het niet veranderen, ik hou van deze vrouw en wil veel bij haar zijn, maar ik wil niet scheiden, ik wil dat ons gezin normaal verdergaat. Maar ik heb tijd en ruimte nodig voor Barbara."

Mijn vrouw reageerde verschrikkelijk, ze ging zo tekeer dat ook de kinderen het meteen wisten, die zijn dan ook al halfvolwassen. Mijn jongste dochter zei: "Papa, dat gaat zo niet! Jij moet voor mama of voor die andere kiezen, zo houden wij het niet uit." Ik zag echt niet wat er uit te houden viel. Er is in principe niet veranderd, behalve dat ik wat vaker weg ben, maar ook dat zijn ze van vroeger gewend.

Mijn vrouw vergelijkt zich, denk ik, nu voortdurend met Barbara, ze weet wie haar rivale is. Zij heeft het gevoel dat ze er slecht voorstaat en Barbara de betere kaarten heeft omdat ze onafhankelijk en zelfstandig is. Ik moet toegeven dat dat precies het punt is dat ik het meest bewonder bij deze vrouw. Ze heeft de kracht dingen in de hand te nemen, ze is zo ongelooflijk knap en verstandig. Natuurlijk ziet ze er ook fantastisch uit, zij heeft een enorme uitstraling en ik weet nu eigenlijk pas wat het begrip 'sexy' betekent.

In vergelijking met haar stelden de eerdere affaires met andere vriendinnen niet veel voor. Wij gingen naar een hotel, dineerden samen, gingen nooit samen op reis, ik wilde nooit te veel riskeren. Met Barbara is dat anders, ik ben helemaal weg van haar. Ik ben zelfs eens acht dagen met haar weggeweest. Er was een beurs, ik zei thuis ook dat ik naar een beurs moest, maar wij hebben daar nog vijf dagen vakantie aan vastgeplakt. Gek hoe de dingen kunnen lopen. Het was warm, hoewel het nog maar net lente was, en ik ben opvallend bruinverbrand van die beurs teruggekomen. Ik had het zelf niet in de gaten, maar mijn vrouw viel het natuurlijk meteen op en ze vond dat het nu welletjes was geweest en eiste een beslissing.

Het gekke was dat toen ze dat zei en het er keihard toeging, ik besefte dat ik dat niet wilde. Ik wilde niet van mijn vrouw scheiden. Mijn gezin is toch de plek waar ik mijn wortels heb. Mijn dochters zijn weliswaar bijna het huis uit, maar ik heb het gevoel dat ze niet meer zoals vroeger aan mijn kant staan. Als ik voor een leven met Barbara kies, verlies ik mijn kinderen, hoewel ik tot nu toe altijd een goede verstandhouding met hen heb gehad. Anderzijds oefent Barbara ook veel druk op mij uit, de zaken zijn plots in een stroomversnelling geraakt.

Sinds de herfst, dus sinds ik mijn vrouw over de relatie vertelde, stelt ook Barbara bepaalde eisen. Dat begrijp ik ook wel, ze is een jonge vrouw van dertig: ze kan nog een gezin opbouwen, terwijl dat onderwerp voor mij is afgehandeld. Kinderen heb ik al, een huwelijk heb ik onder deze vorm niet meer nodig, voor mij is het ideaal zoals het nu loopt. Ik wil daar eigenlijk niets aan veranderen. Wij hebben een fantastische tijd met elkaar, maar dat staat vrijwel volledig buiten het dagelijkse leven. Als ik met Barbara zou trouwen, beland ik misschien algauw op hetzelfde punt als in mijn huwelijk. Dat wil ik niet.'

> Als op een lichaam twee tegengesteld gerichte krachten werken en het lichaam zich in het krachtenevenwicht bevindt, dan zijn die krachten even groot; men zegt, dat ze eenzelfde tegengestelde werking uitoefenen.

'Ik zit nu in niemandsland: niet gelukkig in mijn huwelijk en niet gelukkig in mijn relatie. Beide vrouwen zijn boos op mij en ik heb het gevoel dat ik iets moet doen om de situatie recht te zetten. Maar ik kan niet beslissen.'

Als de bewegingstoestand van een lichaam niet verandert, werkt er geen kracht op het lichaam of bevindt het zich in krachtenevenwicht. Beter gezegd: op het lichaam werken meerdere krachten die elkaar met hun bewegingsveranderende werking wederzijds opheffen.

'Ik moet zeggen dat ik mijn vrouw waardeer. De grote liefde is natuurlijk voorbij, daar heeft de tijd ook een hand in. Maar wij hebben zware tijden meegemaakt en dat schept een band. Het opbouwen van de onderneming, de kinderen, de dood van mijn schoonouders, wij hebben dramatische, intense, treurige momenten met elkaar gedeeld en doorstaan. Dat heeft toch steeds weer geleid tot de beslissing de onderneming en het gezin ongeacht alle crises verder te zetten. En die crises werden heel vaak door mijn seksuele onrust uitgelokt.

Waarschijnlijk was het op een draaglijk niveau verdergegaan als ik Barbara niet had leren kennen. Maar met Barbara veranderde alles.

En, de gedachte is wel eens bij me opgekomen dat Barbara het soort vrouw is dat mijn vrouw onder andere omstandigheden ook had kunnen worden. Mijn vrouw was ook ongelofelijk slim, knap, doelgericht. Helemaal in het begin toen we samen in het bedrijf werkten, legde zij een enorm engagement aan de dag en vond ze moeiteloos haar weg in het zakenleven.

Op een bepaald moment concentreerde zich alle aandacht op mij; mijn schoonvader heeft alles op mij gezet. Het dilemma begon toen mijn vrouw zich in de rol van secretaresse geduwd zag en niet meer als partner optrad. Ik denk dat ze haar kansen zag verdwijnen. Dat ze zich zo op de kinderen concentreerde, was eigenlijk ook een vlucht omdat ze in het bedrijf niets meer te zeggen had. Ik denk dat mijn schoonvader en ik daar niet genoeg rekening mee hebben gehouden, ze had zeker de capaciteiten om een leidende functie te bekleden in het bedrijf. Het zou ook juister en rechtvaardiger zijn geweest als we het zo hadden aangepakt.

Ze werd steeds ontevredener. In feite heeft ze zichzelf constant als een vervelende bijkomstigheid beschouwd, enerzijds in mijn leven, anderzijds in het leven van de kinderen, maar ook in de firma stond ze aan de kant, dat is me nu heel duidelijk.'

> Lichamen die [...] langs een schuine helling wrijvingsloos naar beneden glijden, komen – ongeacht de hellingshoek – beneden met dezelfde snelheid als bij een vrije val van dezelfde hoogte.

'Als ik heel eerlijk ben, zou ik me het liefst voor de huidige situatie verstoppen. Ik wil de grote knal niet horen die aan alles een einde maakt. Ik wil mijn gezin niet verliezen, maar ik wil ook Barbara niet opgeven. Het is een fantastische vrouw, ze geeft mij het gevoel dat ik geweldig ben.
Het is ook een fijn gevoel dat ik bij haar veel minder sterk moet zijn. Thuis ben ik altijd de rots waar iedereen op steunt, ik ben de zekerheid, de richting enzovoort. Barbara heeft dat niet nodig; die is zelf sterk genoeg. Als ik het eens te kwaad heb met mezelf, kan ik bij haar plotseling heel klein zijn, gedeprimeerd, zij vangt me op, ze is zelf sterk. Dat is vrij bepalend voor de kwaliteit van onze relatie.'
Fritz verdient eigenlijk de titel van professor met al die belangrijke lessen die hij ons vrouwen geeft. Fritz is zich elke seconde van zijn persoonlijke situatie bewust. Neemt men hem wel voldoende serieus als 'aangetrouwde' juniorpartner? Is het niet veel te zwaar voor een jonge vader met twee kinderen? Legt men hem niet te veel beperkingen op? Fritz denkt aan zichzelf – veel te veel.
Maar Erika denkt veel te weinig aan zichzelf en verdedigt haar persoonlijke situatie helemaal niet.
Terwijl Fritz opklimt, glijdt Erika stukje bij beetje naar beneden. Hij is medewerker, dan juniorchef, dan eigenaar van het bedrijf; zij is de assistente, dan de secretaresse, dan alleen nog huisvrouw. Erika is even jong als Fritz, heeft dezelfde opleiding. Hij voelt zich beperkt door de twee kinderen? Misschien verlangt zij ook naar avontuur. Maar hij kan zijn 'hartstocht' bevredigen, terwijl zij zich door haar echtgenoot moet laten vertellen dat ze als een onderworpen, oosterse tweede vrouw zijn liefde voor zijn leuke, elegante, jonge geliefde officieel moet tolereren. Van haar aanvankelijk rooskleurige levenskansen – romantische

jeugdliefde, bloeiend familiebedrijf – houdt zij bijna niets meer over. Zelfs de relatie niet waarvoor ze zich zo veel beperkingen oplegde. Haar bereidheid stapsgewijs haar functie op te geven, komt uiteindelijk neer op totale zelfopheffing.

Wil jij een onzelfstandige niemand worden die niemand serieus neemt? Als wij de jonge Erika deze vraag hadden gesteld, had ze zeker verontwaardigd nee gezegd. De neergang van vrouwen is meestal een langzamer, geleidelijker proces, maar natuurkundig speelt dat geen rol. Want wij weten nog: *Lichamen die[…] langs een schuine helling naar beneden glijden, komen – ongeacht de hellingshoek – beneden met dezelfde snelheid als bij een vrije val van dezelfde hoogte.*

Erika wordt steeds zwakker en Fritz buitensporig oppermachtig terwijl zij geen kracht uitoefent. Zij 'komt hem tegemoet. Zij 'trekt zich terug'. Dat zijn bewegingen die niets teweegbrengen, die natuurkundig gewoon niets *kunnen* teweegbrengen.

Alleen kracht kan dat. Alleen kracht beweegt de andere, en alleen kracht verandert de eigen situatie.

Fritz beschrijft zich aanvankelijk als de zwakkere. Vandaag is hij kennelijk de sterkere. Deze begrippen zijn in systemen niet relevant omdat:

> Ook bij verschillende massa's zijn de krachten tussen beide even groot.

Erika handelt volgens het foute devies. Kracht en tegenkracht zijn stabiel. Kracht en toegeven zijn niet stabiel.

En wij leren nog wat van Fritz. Oorspronkelijk zocht hij een partner die zijn gelijke was. Ze was bij wijze van spreken zijn tegenhanger: ze had dezelfde kwalificaties, dezelfde professionele plannen. Bij Barbara bewondert hij later haar zelfstandigheid, haar slimheid. Mannen houden van sterke vrouwen. Maar dat betekent nog lang niet dat mannen de sterkte van de vrouw onderhouden en bevorderen. De vrouw moet er zelf voor zorgen dat ze haar kracht bewaart. Het is niet voldoende in het begin sterk te zijn. Vrouwen moeten constant sterk blijven, niet elke seconde, ook niet elke week, maar in het algemeen. Zonder kracht gaat niets.

Wat Fritz en Erika overkomt, is een eenzijdige energieverdeling. En we weten nog:

Liefde is fysica

> Energie gaat niet verloren en ontstaat niet opnieuw, maar treedt alleen in verschillende vormen op.

Een vrouw die dit principe niet in acht neemt, eindigt algauw zoals een lege batterij bij het speciale afval. Vrouwen investeren hun kracht in emotionele prestaties en emotionele doelen. De mannen in hun omgeving profiteren daarvan omdat, zoals we al lang weten, het warmere steeds energie afgeeft aan het koudere. Deze energie staat niet meer ter beschikking van de vrouw, maar van de man, of nuchterder, helderder geformuleerd:

> Toegevoegde energie wordt als positief, afgegeven energie als negatief beschouwd.

Die vrouw verliest dus een deel van haar daadkracht, ze wordt steeds passiever:

> Wat als warmte-energie aan de omgeving wordt afgegeven, kan soms als verlies van mechanische energie worden beschouwd.

Kijken we even naar het moment waarop Erika uit de firma stapt, dat is veelbetekenend. Erika stopt pas met werken als de kinderen naar de middelbare school gaan. Waarom pas dan? Niet uit zakelijke overwegingen, maar omdat haar energie op is. Tot dan was er nog voldoende, weliswaar steeds minder, maar nu is de energie volledig opgebruikt, volledig afgegeven aan Fritz en omgezet in zijn mechanische energie. Daar heeft hij nu veel van, genoeg om een bedrijf te leiden, die firma te moderniseren en innoveren, contact met de kinderen te houden, zich aan zijn hobby's te wijden en een opwindende liefdesrelatie te beginnen, waarbij het laatste element ook gedeeltelijk als energiebonus kan worden aangesproken, omdat hij nu ook de warmte-energie van een andere vrouw kan omzetten.

10. Bronnen van gravitatiestoornissen
(of waarom Herbert de foute vrouw kreeg en de goede kwijtraakte)

Een man verlaat zijn eerste echtgenote die flink aan zijn opgang heeft meegewerkt, en trouwt met een jongere 'decoratieve' vrouw die naar hem opkijkt.

Tot zover het cliché, de nachtmerrie van veel vrouwen en helaas een voortdurend wederkerende werkelijkheid. Maar hoe gaat het verhaal verder? Vindt een man echt zijn geluk bij een vrouw die in de eerste plaats met hem samen is omdat ze zijn leven aantrekkelijker vindt dan het hare? Herbert is 41 jaar oud en heeft een kleine, goedlopende speciaalzaak voor computerapparatuur. Hij is voor een tweede keer getrouwd met Silvia, die tien jaar jonger is. Silvia werkt deeltijds als hostess op beurzen. Herbert heeft voor het cliché gekozen: hij verliet zijn intelligente eerste vrouw voor een decoratieve tweede vrouw. Laten wij eens kijken hoe het hem en zijn cliché vergaat.

'Mijn eerste huwelijk was een typisch "moetje". Sibylle was mijn eerste vriendin, wij kenden elkaar van school, wij waren even oud, zaten in dezelfde klas. En meteen nadat we van school kwamen – voor ons en voor onze ouders was het vanzelfsprekend dat wij samen bleven – trouwden we en kregen we een kind.

De twee grootmoeders hebben ons enorm geholpen, maar het meeste kwam toch op de schouders van Sibylle terecht. Ik weet eigenlijk niet waarom, wij hebben het er nooit over gehad, het was gewoon zo. Onze zoon is nu achttien.

Ondanks de last van het kind heeft Sibylle na de handelsschool snel allerlei bijkomende opleidingen gevolgd. Zij werkte voor verschillende ondernemingen, waar ze altijd meteen haar kansen greep, ze durfde risico's te nemen. Als het ergens niet lukte, veranderde ze gewoon weer. Deze methode heeft vruchten afgeworpen en momenteel bekleedt ze een topfunctie en verdient ze meer dan ik.

Ik heb niet zo veel geluk gehad. Ik doe het iets rustiger aan, ik ben niet zo een waaghals. Dat was eigenlijk mijn belangrijkste fout in ons huwelijk: ik vond het niet leuk dat het haar kennelijk allemaal geen moeite kostte. Ze was eigenlijk de belangrijkste kostwinner. En dankzij haar kon ik mij in de computerbranche storten, die toen nog in zijn kinderschoenen stond. Zij heeft me altijd aangemoedigd omdat zij met haar professionele ervaring zag dat het een sector in opgang was. Terwijl zij zorgde voor het inkomen, kon ik ook een paar opleidingen volgen en er mijn tijd voor nemen. Dat was mogelijk omdat zij zo goed gesetteld was en het huishouden en de zorg voor het kind prima had georganiseerd.

Maar toen voelde ik me in mijn ijdelheid gekrenkt, ik vond mezelf een beetje de verliezer. Nu ik erop terugkijk, moet ik zeggen dat dat ronduit idioot van mij was. In plaats van volle kracht vooruit te gaan, zette ik er een rem op. Als ik heel kritisch ben voor mezelf, moet ik toegeven dat ik niet blij was voor haar als ze zakelijke successen boekte. Toen ze de sprong naar het zelfstandig ondernemerschap waagde, was ik degene die haar de meest zwartgallige doemscenario's voorhield, en daar heb ik nu toch wel spijt van.

En het was ook zo dat het seksueel niet meer tussen ons klikte, omdat ik me totaal in elkaar gekrompen voelde. Zij begreep dat niet, ze was gekrenkt, ze voelde zich afgewezen, ze vond zichzelf niet aantrekkelijk. Objectief gezien is ze nu op haar 41ste nog steeds een hele elegante vrouw, ze is ongelofelijk bijdehand en ik vind haar nog steeds leuk, moet ik zeggen, ze is gewoon mijn type.

Wij hebben ontzettend veel ruziegemaakt en dat leidde uiteindelijk tot een scheiding. Ik heb altijd gezorgd dat ikzelf voldoende aan bod kwam. Ik herinner me dat ze een paar dagen op reis moest en ik tegelijkertijd een cursus had. Ik had daar ruimte in: ik kon mijn ding eigenlijk gewoon plannen en had evengoed een week later kunnen beginnen. Maar nee, ik heb er een reuzendrama van gemaakt en stond erop voorrang te krijgen. Toen is de bom gebarsten, want het was voor haar een ramp dat ze zich niet vrij kon maken. Het was voor haar, geloof ik, het moment waarop ze zei 'tot hier en niet verder'. Zij wist weliswaar niet dat het van mijn kant om een machtsstrijd ging, maar zij voelde het wel. Zij voelde dat het meer om mijn ijdelheid en mijn macht in de relatie ging dan om een daadwerkelijk verschuifbaar, praktisch probleem.

Mijn huidige vrouw is veel afhankelijker, ze is weliswaar ook actief, min of meer in een beroep werkzaam: ze werkt op beurzen, maar dat is geen echt vak. Het is duidelijk dat ik hoofdzakelijk voor de dingen verantwoordelijk ben: ik ben verantwoordelijk voor het geld, voor het plezier,

Liefde is fysica

voor veel organisatorische dingen, vrijwel alles loopt via mij, al heeft zij in theorie meer tijd dan ik. Maar ze zegt altijd dat ik er middenin sta en het allemaal veel beter kan. En het klopt dat ik ons leven laat bepalen door mijn zakelijke relaties, die uiteindelijk ook onze kennissen voor in de vrije tijd worden.

Ik vind wel dat ze érg weinig bijdraagt of aanvult. Als ik aanvullen zeg, klinkt dat toch al echt minimaal; ik denk ook niet dat ik vreselijk veeleisend ben. Ik ben de hele dag in de weer, kom 's avonds vrij laat thuis, en voor mij is het al voldoende als ze eens zou nadenken over – of iets zou toevoegen aan – ons samenzijn. Maar het blijft meestal bij diepvriespizza's, wat mij op zich niet stoort, maar ik werk hard en dan verdien ik toch een tegenprestatie, een tegemoetkoming. Ik kook graag zelf en ben ook bereid 's avonds wat te doen als ze het een en ander wat voorbereidt of boodschappen doet. Ik zou graag willen dat we het wat gezelliger zouden hebben.

In de periodes dat zij werkt, zegt ze altijd dat ik meer moet doen. Daarmee bedoelt ze dat ik mijn hemden zelf naar de stomerij moet brengen en zo. Dat is oké voor mij, maar ik vind toch dat ze de boel best een beetje beter zou kunnen organiseren. Als ik haar werkdruk met de mijne vergelijk, dan staat dat absoluut niet in verhouding.

Ik merk dat ik steeds vaker ontevreden ben. Ik kwam onlangs toevallig mijn ex-vrouw in de stad tegen, we botsten bijna op elkaar en zijn spontaan een café binnengelopen. En ik dacht bij mezelf: stomme idioot, dat je haar hebt laten lopen! Ik had echt het gevoel dat ik mijn geluk toen heb laten lopen.

Zij heeft inmiddels een nieuwe levensgezel, een heel knappe arts, als ik haar mag geloven. Ze is heel tevreden met haar leven. En ik ben blij voor haar, maar het spijt me toch wel. De gedachte schoot door mijn hoofd dat ik het liefst mijn koffer zou pakken om naar haar terug te keren, om de klok terug te draaien en weer bij haar in te trekken in ons oude huis. Het is er nog en ik ben toen slechts met één koffer vertrokken. Maar natuurlijk is er geen weg terug.

Ik wist gewoon niet wat ik aan haar had. Ja, het klopt, vrouwelijk talent doet mannen aarzelen omdat ze zich onwillekeurig in een hoek gedreven voelen. Ze denken: dat is een vrouw, mijn vrouw, en die zou me wel eens kunnen overtroeven. Als het met haar eigen kracht goed gaat, waardeert ze mij misschien niet meer, dan idealiseert ze mij misschien niet meer.

Mannen willen graag met veel glamour worden geïdealiseerd, de super-kerel zijn. Waar ben je dat nu nog? Die indruk thuis instandhouden, is al heel wat. Maar het is een foute methode, dat zie ik nu duidelijk in, want wat heb ik nu precies aan mijn huidige relatie? Betrekkelijk weinig. Ik leef op waakvlamniveau en op emotioneel vlak gebeurt er ook niet veel. Er wordt veel minder gepraat en daar voel ik mezelf voor verant-woordelijk, want tenslotte heb ik een vrouw die tien jaar jonger is. Ik denk vaak dat ik me meer moet inspannen: ik moet jong blijven, ik moet beter mijn best doen. Want als ik dat niet doe, faal ik eigenlijk voor de tweede keer. Ik denk dat mannen zich niet graag als mislukkeling in relaties zien en als er twee of drie huwelijken op de klippen lopen, zet dat je wel in een heel bedenkelijk daglicht.

Wat ik graag anders zou zien in deze relatie is dat mijn vrouw haar beroep serieuzer zou nemen, dat ze van die opdrachtjes een echt beroep zou maken. De dagen zijn toch redelijk lang en zo veel zorg heb ik niet nodig – en krijg ik sowieso niet van haar.

Nu heb ik eerlijk gezegd niet de relatie waar ik van droomde. Oké, ze ziet er fantastisch uit, ze is een echte glamourmeisje. Je weet wel: zo een model-type, slank, groot, altijd naar de leukste mode en met veel fantasie en moei-te gekleed. Allemaal dingen die me meteen aanspraken toen we elkaar leerden kennen. Maar inmiddels interesseert die hele kledingbusiness, die voor haar nog steeds enorm belangrijk is, mij stukken minder.

Ik denk dat we weinig gemeen hebben, en ik vrees dat relaties waarbij in het begin uiterlijkheden en factoren als wederzijdse bewondering en sex-appeal heel belangrijk zijn, onvoldoende basis bieden als zulke rela-ties zich niet verder ontwikkelen. Als mijn vrouw haar leven wat meer inhoud gaf, zou het misschien beter met ons gaan.

Ik vraag me af of haar leven niet verschrikkelijk saai is. Ze wil bijvoor-beeld geen kinderen. Dat vind ik best, ik heb al een zoon. Ik ben al blij dat daar geen misverstanden over bestaan want ik denk dat ons huwe-lijk niet bestand zou zijn tegen kinderen. Maar wat ik bedoel is, als ze geen kinderen wil, hoe stelt ze zich haar leven dan eigenlijk voor? Wil ze er helemaal niets mee doen?

Ze is het type vrouw dat de indruk wekt meegaand te zijn, zich te laten steunen. Maar in werkelijkheid heeft dat een ijskoude component en dat ergert me nog het meest. Het heeft de component dat ik er voor haar ben en eigenlijk verplicht ben voor haar te zorgen. Het is zoals een beschermd dienstverband: zij is een soort ambtenaar die weinig uitvoert, maar die je niet zomaar kan ontslaan. Omdat ik haar eigenlijk in dit huwelijk heb gelokt – ik was stapelgek op haar – draag ik nu de volledige verantwoordelijkheid.

En voor haar zijn er niet automatisch wederzijdse verplichtingen, dat stoort mij enorm. Ze beschouwt zichzelf als een waardevolle aanwinst; ik wilde haar, nu heb ik haar, en nu moet ik blij zijn. Ik vind, om het maar even heel direct te zeggen, dat ze haar bijdrage niet levert. Mijn collega's hebben vrouwen die werken, meestal met veel plezier en inzet, en bij hen gaat het er allemaal veel vrolijker en soepeler toe.

Als wij 's avond mensen over de vloer hebben, zie ik dat zij zich altijd een beetje afzijdig houdt. En als ik het heel cru stel, waarover zou ze eigenlijk moeten praten? Haar beursverhalen zijn vrij saai en haar dagelijkse bezigheden – weet ik wat ze doet – ook: ze gaat ergens koffie drinken, winkelen, ze leest tijdschriften en houdt zich een beetje bezig met een oudere tante die geen echte verzorging nodig heeft, alleen af en toe wat gezelschap en een praatje.

En dan zit je gauw door je gespreksstof heen als je met anderen moet praten. Het grappige is dat die andere vrouwen vaak minstens tien jaar ouder zijn dan zij, maar ik vind die allemaal veel levendiger dan Silvia, die zich steeds lustelozer gaat gedragen.

Wat is mijn aandeel daarin? Mijn aandeel is dat ik me verlamd voel, ergens een schuldgevoel heb dat wordt voortgebracht door de gedachte dat een man verantwoordelijk is voor zijn vrouw. Ik ben een eerder conventionele man, en ik ben ook graag verantwoordelijk, maar *zo* verantwoordelijk als ik nu ben voor iemand die niets met haar leven doet, dat vind ik eigenlijk ook niet leuk.

Ik denk dat het in werkelijkheid al zo een beetje voorbij is. En ik heb haast het gevoel dat het te gevaarlijk is er nog verder over te praten omdat mij steeds meer een vervelend gevoel bekruipt als ik nog dieper in de materie doordring en nog verder nadenk. Eerlijk gezegd, vergt het te veel van me, ik kap er liever mee.'

Een botsing is 100% onelastisch als lichamen na het treffen met elkaar verbonden blijven.

Inmiddels zijn wij vertrouwd met het wetenschappelijk inzicht dat mannen en vrouwen – zoals bij golfkringystemen – hun respectieve vorm, integriteit en energie kunnen en moeten behouden als ze positief met elkaar in relatie willen treden, zonder elkaar en zichzelf te verstoren en een verlies te veroorzaken.

Als vrouwen in plaats daarvan de foute weg kiezen van de onelastische botsing, die uitloopt op de opheffing van de overlappende harmonische golfbewegingen, dan zijn daarvoor twee wezenlijke oorzaken aan te wijzen:

• traditie en geschiedenis;
• onhoudbare romantische waanbeelden.

Daar komt in veel gevallen nog een dosis gemakzucht bij: we laten ons vallen en door een andere dragen.

Mannen slaan ook de verkeerde weg in, maar om andere redenen. Ook bij hen spelen traditie en geschiedenis een belangrijke rol. Daarnaast zijn het niet zozeer de romantische waanbeelden waardoor vrouwen zich laten leiden, maar beelden van mannelijkheid. Mannen leerden dat hun ego wordt bevestigd als een kleinere, zwakkere persoon naar hen opkijkt en van hen afhankelijk is. Maar dit samenlevingspatroon werkt voor mannen blijkbaar ook niet meer, zoals we uit Herberts ambivalente verhaal kunnen opmaken.

Psychologische inzichten en ideologische aanspraken helpen de mensen kennelijk maar tot op een zeker punt de macht der gewoonte af te schudden. Vermoedelijk hebben we meer baat bij de logica van natuurkundige wetten.

Onwetenschappelijk mannelijk gedrag 1: voorrang opeisen

Lieve lezer, probeer je eens in te denken dat je een partner hebt gekozen die tien jaar jonger is dan jij. Hij is opvallend aantrekkelijk en vrij ijdel. Op heel wat vlakken overtref je hem. Hij heeft een middelbare-schooldiploma, jij hebt een universitair diploma. Hij heeft af en toe een baan, maar jij bekleedt een verantwoordelijke functie. Je steunt hem financieel, met inbegrip van zijn talrijke aankopen want hij koopt graag dingen voor zichzelf. In het gezelschap van je vrienden en vriendinnen, en met name van je collega's, is hij verlegen en verstopt hij zich achter je. Soms is hij bij deze gelegenheden wat bokkig en gedeprimeerd en dan moet je hem vleien, zeggen hoe goed hij eruitziet en hoe graag je hem ziet om hem weer op te peppen.

Lijkt dit je iets? Voor de meeste vrouwen is het pijnlijk met zo een partner te verschijnen. Vreemd genoeg kunnen velen van jullie zich nog goed voorstellen zelf de rol van zo een partner te hebben gespeeld. Zoals we het hier schetsen – zij het met een bezetting van het andere geslacht – bestaan er nog veel relaties. Menige man maakt het niets uit met een vrouw te trouwen die duidelijk onderdoet voor hem en zijn omgeving, die los van haar uiterlijk en modieuze smaak niet veel te bieden heeft. De meeste vrouwen zouden het beneden hun waardigheid vinden zo een man mee naar huis te brengen.

Maar dat vertrouwde beeld verschuift kennelijk toch. Herbert vergelijkt zijn vrouw met de vrouwen van zijn vrienden en begint te twijfelen aan zijn keuze. Hij vraagt zich af of hij niet een grote fout heeft gemaakt toen hij zijn competente, ambitieuze en interessante vrouw inruilde voor een puur decoratieve vrouw. Vooral omdat zijn voorsprong – zijn hogere inkomen, status, levensjaren en belangrijkheid – hem nauwelijks nog concrete voordelen biedt binnen zijn huwelijk. Hij heeft weliswaar objectief meer macht dan zijn partner, maar het wordt tegenwoordig niet meer geaccepteerd die macht openlijk te gebruiken.

De man die nu nog openlijk vrouwelijke dienstbaarheid eist met het argument dat hij tenslotte het familieopperhoofd en de kostwinner is, wordt voor ouderwetse griezel uitgescholden. Zoiets is al lang smakeloos en onbeleefd en gebeurt het toch, dan zullen we pijnlijk getroffen ons hoofd afwenden. Herbert weet dat – dus verorbert hij braaf de diepvriespizza's die Silvia hem voorzet en houdt zijn mond. Hij weet hoe de tijdsgeest is en uit zijn bezwaren slechts aarzelend. Hij heeft weliswaar het gevoel dat hij door zijn partner wordt gebruikt, maar zijn kritiek formuleert hij voorzichtig en onrechtstreeks. Hij wilde in zijn tweede relatie degene zijn die 'voorrang' heeft, die belangrijker is, die meer verantwoordelijkheid draagt en meer verdient. Nu, hij heeft gekregen wat hij wilde.

Onwetenschappelijk mannelijk gedrag 2: soeverein zijn

Veel vrouwen beklagen zich erover dat ze verantwoordelijk zijn voor de relatie. Meestal bedoelen ze hiermee dat zij problemen aankaarten, de vrije tijd inrichten, het sociale leven van het koppel managen, terwijl hij in het beste geval 'meedoet' uit piëteit.

Het verhaal van Alois en Lisbeth is een goed voorbeeld.

Alois is maatschappelijk werker, ironisch genoeg in de gezinshulp – ironisch omdat hij zijn klanten altijd nadrukkelijk op het hart drukt dat een goede communicatie belangrijk is en juist dat aspect in zijn eigen relatie ontbreekt. Zijn vrouw Lisbeth werkt ook in de sociale sector, in de gehandicaptenzorg. Als groepsverantwoordelijke heeft ze een belangrijke, maar ook heel belastende functie. Haar dienstrooster – drie volle dagen en nachten en dan vier dagen en nachten vrij – maken het samenleven niet gemakkelijker en na veel diensten is een zekere burn-out onvermijdelijk.

Hoe was de relatie van Alois met zijn familie? Welk geval heeft Lisbeth deze keer 'mee naar huis' genomen? Hoe ziet haar toekomst eruit met betrekking tot het krijgen van kinderen, iets dat met Lisbeths huidige dienstrooster heel moeilijk zal zijn? Dat zijn onderwerpen die Lisbeth graag met Alois wil bespreken, ze wil graag zijn echte en authentieke mening daarover horen. In plaats daarvan gaat het volgens Alois als volgt: 'Bij ons draait het steevast uit op enerzijds haar verwijten en haar gejammer en anderzijds mijn schuldgevoelens, die ik volgens haar nooit wil toegeven.

Soms overweeg ik het volgende: stel dat ik heel open zou toegeven dat het klopt wat ze mij verwijt: dat ik sterk op mezelf ben gericht, dat ik te weinig open ben, dat ik te weinig spreek over de dingen die mij dwarszitten en daardoor ook veel te weinig naar haar kan luisteren en haar te weinig kan geven. Als ik dat gewoon zou toegeven, wat dan? Wat zou er dan gebeuren?'

Dat hij het zo moeilijk heeft om die stap te zetten, schrijft Alois toe aan zijn ouders en de traditionele rollenpatronen. Zijn vader dronk en sloeg zijn vrouw; zijn moeder was verdraagzaam en vlijtig en beulde zich af om in die omstandigheden vijf kinderen en een huishouden te kunnen bolwerken. Volgens Alois inspireerde deze problematische achtergrond hem maatschappelijk werker te worden en met gezinnen te werken. Maar in zijn eigen relatie voelt hij een innerlijke rem die hij zelf niet helemaal kan verklaren. Dat zal, denkt hij, zijn oorsprong wel hebben in de klassieke rollenpatronen:

'En zolang mannen dat nog in zich hebben, zal er weinig veranderen. Wat mijn vrouwenbeeld betreft, kon ik die oude opvattingen goed van me afschudden. Ik ga niet voor de stereotiepe afhankelijke vrouw die volledig door haar emoties wordt gedreven. Ik vind het echt fijn als vrouwen rationeel en verstandig zijn, partner zijn. Maatjes, makkers, dat zijn allemaal begrippen die me bij vrouwen goed bevallen, dat vind ik ongelofelijk aantrekkelijk. En ik heb ook een vrouw die aan het beeld van een stoere tante voldoet, helemaal geen meegaande, zachte vrouw. Lisbeth zegt precies waar de zaak op staat, ze baant zich een weg door de hiërarchie, zij heeft wel eens een enorm corruptieschandaal onthuld in de inrichting waar ze werkt, dat vind ik geweldig.'

Maar het mannenbeeld veranderen, is voor hem veel moeilijker. Waarom, dat kan Alois precies verklaren. Wij hebben het idee dat hij hier namens veel mannen spreekt:

'Lisbeths bezwaar is dat zij altijd op mij moet inwerken en moeizaam de dingen uit me moet trekken omdat ik niet open genoeg ben. En dat voel ik ook heel sterk, maar ergens zit een diepgewortelde angst. Als ik er nu echt alles uitgooi, als ik alles dat in me zit, het hele zooitje, er uitgooi, ben ik bang dat ze me niet meer zal waarderen.

Ik ben bang dat als ik alles prijsgeef, me volledig blootgeef, ik er huilend bij zit – ik weet niet, wat er allemaal naar boven zou komen – dat ik dan mijn zelfbeeld aantast. Omgekeerd, als het eens niet goed gaat met Lisbeth, dan snikt en huilt en tiert ze volop, en toch verandert dat voor mij helemaal niets. Voor mij is ze daarna nog steeds dezelfde sterke Lisbeth. Maar of ze in mij nog de gelijkwaardige partner zou zien, of laten we eerlijk zijn: de partner naar wie ze een beetje opkijkt, dat weet ik niet. Ja, ik gebruik het begrip 'een beetje opkijken', dat klopt, dat flap ik er ook zomaar uit, maar wij mannen hebben het toch nog sterk in ons dat wij willen dat vrouwen eerbied voor ons hebben.

Maar ik wil óók naar haar opkijken, ik wil haar ook kunnen respecteren en achten, dat spreekt voor zich. Haar persoonlijkheid, haar prestaties – dat bewonder ik allemaal enorm. Ik wil ook niet dat zij uit een ondergeschikte positie naar mij opkijkt, ik wil ook naar háár kunnen opkijken. Nou ja, als ik heel eerlijk ben, wil de man toch altijd een beetje hoger staan. Dat kleine erepodium dat de wereld zo bereidwillig voor hen opzet, daar houden mannen van. Neem mij nu. Als ik de mannen in mijn familie bekijk, mijn vader was postbode, ik ben maatschappelijk werker, dan zijn dat zeker geen spectaculaire machofuncties. Wij zitten eerder in de categorie 'sukkels'. Er zit niet zo veel glitter bij, afgezien van het feit dat wij mannen zijn.'

Alois spreekt de wens uit die veel mannen koesteren: zich groot voelen terwijl een andere persoon op hem steunt. En hij spreekt de angst uit die veel mannen ervan weerhoudt hun natuurlijkste impuls te volgen en in hun relaties optreden als de heel normale mensen die ze zijn en willen zijn.

Holger ging door een tranendal – hij weet wat er gebeurt als de man in de relatie ooit zwak is. Ja, hij heeft het niet alleen meegemaakt, hij heeft het zelfs *overleeft*.

'Bij Jacqueline was het zo dat zij het van begin af aan niet eens was met een gemeenschappelijke bankrekening, omdat ze een heel trots mens is. Ze wilde niet op mijn kosten leven, dat druiste in tegen al haar opvattingen. En ik moet eerlijk zeggen dat me dat goed bevalt aan haar. Het geeft mij, geloof ik, toch een groter gevoel van geluk dan bij iemand die dat niet heeft. Ik denk dat deze basisinstelling belangrijk is voor onze relatie en bepaalde problemen eenvoudigweg voorkomt.

Een voorbeeld: gisteren was er op televisie een interview met een man die als deejay door het leven gaat, hoewel hij al 35 is en een hoop schulden heeft. Op de vraag hoe het zover is kunnen komen, antwoordt hij dat hij blind was voor de liefde. Die vrouw steunde volledig op hem, voor haar was het vanzelfsprekend dat hij een paard voor haar kocht en een auto en meer van dat soort luxegoederen. Maar toen het vat leeg was, verdween ze en hij is met de schulden blijven zitten. Eigen schuld, dikke bult, denk ik dan lachend, want ik kan er gewoon niet bij dat iemand zó dom kan zijn.

Die afhankelijkheid wisselde in onze relatie. In het begin, het eerste jaar, steunde ze heel sterk op mij. Toen kwam ik op een dieptepunt toen de onderneming waar ik werkte failliet ging. Door de werkloosheid en het lange, vruchteloze zoeken naar een nieuwe baan, belandde ik in een diep dal. Ik douchte me bijvoorbeeld veel minder vaak, terwijl ik eigenlijk voortdurend thuis was. Ik liet me gaan en je wordt snel futloos en lui. In die tijd heeft het respect dat ze voordien voor mij had, een behoorlijke knauw gekregen.

Toen kwam de kritiek: "Jij zit hier maar te niksen". Dat klopte niet helemaal. Ik heb gestudeerd, het was niet zo dat ik helemaal niets deed; ik beantwoordde niet aan dat typische beeld met bierbuik en bierfles, uitgezakt voor de televisie. Zo was het zeker niet. Ik zat in die tijd uren achter de computer en met wat ik in die drie maanden heb geleerd, verdien ik nu veel geld. Het heeft dus wel zin gehad. Alleen in het algemeen, in mijn manier van leven en mijn voorkomen liet ik me gaan, het vernislaagje ging er bij wijze van spreken een beetje af. Zij beschouwde mij niet langer als de beschermer, de sterke. In plaats daarvan probeerde ze zelf de sterke te zijn en mij te stimuleren.

Dat was lastig voor me, maar principieel en achteraf bezien, was het een grote hulp. Je zit soms echt in een crisis en dan heb je iemand nodig die je steunt en je eens goed door elkaar schudt. Als je in de put zit, merk je niet dat je je laat gaan. Dat is iets dat de ander als objectief waarnemer wel opmerkt.

Het kan tenslotte niet altijd een eenzijdig geven en nemen zijn. Je kunt het vergelijken met landbouwgrond: als je uitsluitend tarwe verbouwt, verliest de grond zijn vruchtbaarheid. Het drieslagstelsel is beter. Er moet worden afgewisseld, anders raakt de grond uitgeput en functioneert het hele systeem niet meer. En dat is volgens mij ook zo in relaties: elk van beiden moet bereid zijn de rol van de andere over te nemen. Een vrouw mag niet verwachten dat ze altijd op haar man kan steunen, een man moet, wat eigenlijk zelden gebeurt, zijn gevoelens openlijk kunnen tonen – gewoon eens een keer een potje janken.

Ik kan dat niet goed omdat ik niet zo ben opgevoed. Soms lukt het als er echt iets ergs aan de hand is. Maar het heeft lang geduurd voor ik wist dat een man gewoon op de zachte schouder van zijn vrouw kan steunen, dat het laagje stoere vernis best eens mag afbladderen. De relatie wordt daar alleen maar beter van.'

Het is interessant te zien hoe deze man instinctief een wetenschappelijke analogie maakt – een fenomeen dat wij bij onze vrouwelijke interviewpartners vaker zagen. Intuïtief begrijpen veel mensen dat de regels van de natuurwetenschappen ook voor hen opgaan. Wat Holger hier in landbouwkundig jargon uitlegt, kennen wij al van onze algemene natuurkundige principes:

> Toegevoegde energie wordt als positief, afgegeven energie als negatief beschouwd.

Relaties waarin eenzijdig energie wordt afgegeven, raken uitgeput. Binnen een systeem – en dus ook in een relatie – blijft de som van de energie weliswaar constant, waar maar wrijving is (een relatieconflict is wrijving) wordt de som van de energie kleiner.

Onze eerste gesprekspartner Herbert voelde heel precies aan dat hij voor zijn moeite te weinig terugkreeg. Hij verdiende het geld, organiseerde het sociale leven en de vrije tijd, stuurde de relatie. Hij verwachtte dat zijn vrouw haar beroep ernstiger zou opvatten (mechanische energie investeert) of meer zou bijdragen aan de gezelligheid en levenskwaliteit (warmte-energie afgeeft). Wie noch het een noch dat andere doet, is een energievreter.

Wie steunt eigenlijk op wie?

Een cruciaal begrip voor vrouwen is het *steunen*. Conventionele, conservatieve vrouwen willen steun krijgen, omdat ze denken dat ze de kracht en capaciteiten van de sterkere man nodig hebben, omdat ze het alleen niet kunnen rooien. Competente, ambitieuze vrouwen zoeken steun omdat ze de stress en de druk van hun optreden in het openbaar willen compenseren. Ze willen zich ook wel eens laten gaan, verantwoordelijkheid afgeven, de zware last liefdevol van hun schouders laten nemen.

Het verlangen naar steun beschouwt men als typisch vrouwelijk. En meteen verschijnt daar ook een passend beeld bij: de man die wat groter, de vrouw die wat kleiner is. En als het even kan, ook graag nog een brede mannelijke schouder voor het uitgeputte vrouwelijke hoofd.

Tot zover het beeld, nu de feiten. Feit is dat alle mensen graag steun ondervinden – het willen, het nodig hebben en het ook doen. Ook mannen, *juist* mannen. Zelfs de machtigste vorsten die over wereldrijken heersten, die over oorlog en vrede beslisten, die met een eenvoudig handgebaar over leven en dood oordeelden, juist deze mannen waren het afhankelijkst van vrouwen – bijvoorbeeld van hun oude moeder of van hun 'wulpse' minnaressen. Van deze vrouwen verwachtten zij in de eerste plaats troostende woorden, schouderklopjes, een geborgen hoekje waarin ze ook eens zwak konden zijn.

De geschiedenis van het maîtressedom is heel leerrijk. Clichés schilderen minnaressen af als de glamoureuze speeltjes van machtige mannen. Bekoorlijke, oppervlakkige intrigantes die kaartspeelden en verstrikt raakten in kuiperijen aan het hof. Hun hele denken en streven was gericht op het doel de koning met geraffineerde, erotische kunstgrepen aan zich te binden.

Maar ook dit beeld klopt niet. Koninklijke maîtresses waren vooral in hun spirituele en psychologische hoedanigheid onvervangbaar voor de koning. Historische documenten onthullen dat de beroemdste en belangrijkste 'bijslapen' vaak helemaal geen of maar heel soms seks hadden met hun koninklijke geliefde. Aan seksuele aanbiedingen en mogelijkheden ontbrak het een koning immers nooit. Bij een maîtresse zocht hij daarentegen iets schaarsers, namelijk de kans zich te kunnen laten vallen en te steunen, medelijden en coaching te krijgen. Op alle andere momenten – ook in de omgang met de om politieke redenen gekozen echtgenote, die vaak een leven lang een vreemde voor hem bleef en niet zelden een vijand – moest hij machtig, imposant en ongenaakbaar zijn. En dat is vreselijk uitputtend.

Madame de Maintenon, een van de beroemdste maîtresses in de wereldgeschiedenis, beschrijft haar relatie met Lodewijk XIV als volgt: 'Als de koning van de jacht terugkeert, komt hij naar mij toe. Dan gaat de deur op slot en komt niemand binnen. Hier ben ik dan alleen met hem. Ik moet zijn zorgen delen als hij die heeft, zijn treurnis, zijn neerslachtigheid; soms barst hij in tranen uit en kan hij die niet bedwingen of beklaagt hij zich over zijn lot.'*

Ook de pijnlijke, halfslachtige affaire van de voormalige Amerikaanse president Bill Clinton past beter in de rubriek 'steun zoeken' dan onder het kopje 'seks'. Zoals de hele wereld tot in de kleinste details te horen kreeg, kwam het bij de ontmoetingen van Clinton en Monica Lewinsky nauwelijks tot seksueel contact en zelfs nooit daadwerkelijk tot de geslachtsdaad in de traditionele betekenis van het woord. Wat Clinton zocht in deze contacten was het alledaagse gesprek, de bewondering en het gekibbel met een weliswaar niet bijster slimme, maar hem absoluut toegewijde jonge vrouw. Hij wilde soms een paar minuten lang niet de machtigste man van de wereld zijn, maar grapjes maken en zich ontspannen.

* Caroline Hanken: Vom König geküßt. Das leben der groben Mätressen, Berlin: Berlin Verlag 1997.

11. Dolores en de schijnkrachten

> Weliswaar is het mogelijk om bij eenrichtingsprocessen de oorspronkelijke toestand te herstellen [...] maar dan alleen door toevoeging van energie.

In dit hoofdstuk zien wij hoe een fout is recht te zetten. Slechte beslissingen en foute ontwikkelingen zijn onder de juiste voorwaarden te herstellen.

Laten we naar het voorbeeld van Dolores kijken:

Dolores was de jongste dochter van een acteursechtpaar en groeide op in vrij woelige, bohémienachtige omstandigheden. Met een kleine toneelgroep reisde het gezin stad en land af – vaak en bij voorkeur zuidwaarts, naar Spanje. Dat klinkt schitterend en romantisch, maar de werkelijkheid was minder fraai. Er was nooit genoeg geld, de ouders maakten constant ruzie en op een dag verdween vaderlief en was jaren spoorloos.

Toen Dolores vijftien was en haar grote zus achttien, kwam hun moeder om bij een verkeersongeval. Maatschappelijk werkers zochten de vader en vonden hem ook: inmiddels fatsoenlijk getrouwd en vader van nog twee kinderen. Hij toonde helemaal geen interesse voor de dochters uit zijn stormachtige jeugdliaison en betaalde maar mondjesmaat alimentatie voor Dolores.

De zusters sloegen zich er toch op een of andere manier doorheen. Ze bleven in Spanje omdat het leven daar goedkoper was en omdat het inmiddels hun vaderland was geworden. Toch konden ze daar geen duurzaam bestaan opbouwen. Sociaalvoelende vakantiegangers trokken zich het lot van de jonge vrouwen aan. Ze regelden voor de oudste zus een baan in München en voor Dolores een studieplaats in Hamburg. De jonge vrouwen waren aanvankelijk bang voor het koude en puriteinse Duitsland en vreesden Spanje erg te zullen missen. Maar dat viel allemaal reuze mee. De zus voelde zich goed in haar nieuwe baan en in de nieuwe stad. De extraverte Dolores had snel een vrolijke vriendenkring en deed van alles in de alternatieve cultuurscene van haar nieuwe vaderland.

Zo ging het vijf jaar lang. Dolores had nauwelijks geld, maar veel had ze ook niet nodig. Ze was gelukkig. Vanuit haar kamer in een studentenhuis had ze een prachtig uitzicht op de Alster, in haar vrije tijd gaf ze Spaans en flamencolessen en leerde zo aardige mensen kennen, onder wie een paar bekende acteurs die haar hulp inriepen bij het instuderen van hun rollen. Dat jaar had Dolores heel wat vriendjes. De meeste van die verhoudingen brak ze vrij snel weer af. Die mannen deden haar allemaal te sterk denken aan haar vader. En hoe interessant, sexy of getalenteerd ze ook waren, ze gedroegen zich even egoïstisch, driftig, arrogant en onbetrouwbaar. Voor meer dan een avontuurtje waren ze niet te gebruiken. Met haar taallessen leerde Dolores ook geregeld ernstige mannen kennen – zakenlieden die hun conversatievaardigheden wilden opfrissen of hun zakelijke correspondentie door haar lieten vertalen. Sommigen vonden de pittige, eigenzinnige Dolores razend aantrekkelijk en ook Dolores begon gerichter naar deze mannen te kijken. Af en toe leek er eentje aanvankelijk veelbelovend, maar uiteindelijk stonden ze allemaal te ver van haar wereld – ze keurden haar vriendenkring af, begrepen niets van kunst of theater, waren gewoon te kleinburgerlijk, daar kon ze zich geen leven mee voorstellen.

En toen kwam Gregor. Gregor was tandarts, zo ongeveer het fatsoenlijkste beroep dat men zich kan bedenken. Maar hij had een opmerkelijk onconventionele aanleg. Dolores' wereld was hem vreemd, maar fascineerde hem. Hij hield ervan premières bij te wonen en daarna met de acteurs langs rokerige jazzkelders te trekken. Dolores dacht dat ze in hem misschien de perfecte mengeling had gevonden: ernstig en betrouwbaar, maar ook openhartig en ondernemend.

'Hij was niet echt mijn type', vertelde ze. 'Zijn uiterlijk sprak me niet echt aan: klein, potig – zijn voorgangers waren allemaal veel knapper. En de meesten waren ook welgestelder dan hij. Ik viel voor hem omdat hij me altijd aan het lachen bracht – hij was gewoon ongelofelijk vrolijk.'

En Gregor kijkt als volgt op de kennismakingsfase terug:

'Dolores was heel onafhankelijk en dat fascineerde mij. De vrouwen uit mijn kennissenkring waren allemaal uitsluitend uit op prestige en zekerheid. Kopen, hebben en nog meer hebben. Die dingen interesseerden Dolores niet. Met een auto of een chalet in Kitzbühel kon je haar niet imponeren. Daarbij was ze honderd keer aantrekkelijker dan die gemanicuurde, gelakte, afgeborstelde vrouwen in mijn omgeving. En dan haar lichaam – ja, ze was slank, even slank als de vrouwen van mijn vrienden, maar het was een ander soort slankheid. Ze had het lichaam van een danseres, pezig en atletisch. Ze was haar eigen persoon. Ze had niemand nodig, ze was sterk.'

Goed, we springen even vijf jaar verder. Dolores en Gregor zijn getrouwd. Ze hebben twee kinderen, twee zonen. Gregors ouders bezitten meerdere huizen, die ze verhuren. In een daarvan heeft het jonge gezin een etage betrokken. Dolores geeft nog flamencoles en organiseert manifestaties. Gregor is daar altijd bij en helpt bij het opstellen van de muziekinstallatie. Wij springen verder, nog eens vijf jaar. Een collega en vriend heeft Gregor overtuigd Hamburg te verlaten en in een kleine stad met weinig voorzieningen een leuke, moderne praktijk te openen.

Dolores is niet laaiend enthousiast over het project, maar als ze zich ertegen verzet, doet Gregor dat lachend af als deel van haar 'zigeuner-verleden'. Of ze zo zoetjes aan niet te oud wordt voor die alternatieve kunstenaarsfratsen? vraagt hij een beetje geërgerd. Daar komt bij dat het gezin tenslotte wel leeft van *zijn* inkomen en heus niet van haar flamen-cocursussen. Het komt aan op de volgende jaren, dat zijn de jaren waar-in de basis wordt gelegd voor de rest van hun leven.

Gregor stuurt afscheidsbrieven naar zijn patiënten, sluit zijn praktijk in Hamburg en laat de verhuiswagen komen. Dolores is woedend over dit eenzijdige machtsvertoon, maar heeft een zwakke plek, die Gregor maar al te goed kent: zij kan niet tegen conflicten en een gespannen stemming. Daar komt bij dat als iemand zijn boeltje pakt en het gezin verlaat om eindelijk een ordelijk leven te leiden, de gepakte koffer haar herinnert – als een naar *déjà vu* – aan het verdwijnen van haar vader.

Dolores geeft toe en komt in een leven terecht dat ze nooit heeft geam-bieerd. Zeker, de praktijk loopt prima en ze leven er goed van. En ja, Dolores koopt mooie kleren, gaat paardrijden met haar zoontjes, boekt 's winters een vakantie op de Malediven. Het geld is er en Gregor wil dat weten ook.

Maar het gaat niet best met het huwelijk. Gregor heeft een kennissen-kring opgebouwd waar Dolores maar weinig mee kan. Voor die mannen zijn vrouwen parasieten, decoratieve, maar lastige, chagrijnige mis-bruiksters van de mannelijke creditcards: ze laten zich uitgebreid in de watten leggen en toch zeuren ze de hele tijd. Maar daar hoeft een man zich niets van aan te trekken: die vrouwen blijven toch wel, al was het maar vanwege het luie leventje dat mannen hun bieden.

Gregor ontwikkelt mettertijd een echt kwalijke, tirannieke manier van doen. Het lijkt wel alsof zijn persoonlijkheid gespleten is: de aardige, vrolijke, non-conformistische Gregor bestaat nog wel, maar er is ook een boosaardige Gregor die plotseling opduikt, een Gregor die zijn vrouw in het bijzijn van anderen beledigt en haar er voortdurend op wijst dat *hij* tenslotte de rekeningen betaalt.

Dolores staat herhaaldelijk op het punt een scheiding aan te vragen. Van haar vroegere affectie voor Gregor is niets over. Er zijn dagen dat ze hem ronduit haat en hij heeft haar al tijden niet meer aan het lachen gemaakt. 'Er was maar één ding dat me tegenhield', vertelt ze bitter, 'dat is het feit dat bezoekregelingen nog vreselijker kunnen zijn. Vooral in ons geval. Hij zou uit rancune al mijn opvoedingsprincipes ondermijnen en met cadeautjes de liefde van de kinderen kopen. Dat zou de jongens flink beschadigen en mijn zenuwen ook.'

Aangezien ze niet meer van Gregor houdt en haar hoop op een harmonische relatie al lang vervlogen is, slaat Dolores nu ook al zijn adviezen in de wind. Voor haar heeft het geen zin meer om wat voor compromissen ook te sluiten om het huwelijk in stand te houden, daarvoor is het te laat. Innerlijk neemt Dolores afstand van Gregor en ook van zijn kennissenkring. In plaats daarvan bouwt ze eigen vriendschappen op. En ze gaat weer werken als invalkracht bij een dansschool en als assistent in het theater. Dat was ze al veel langer van plan, maar Gregor had haar dat altijd uit het hoofd gepraat. 'Je verdient daar minder dan de babysitter me kost', rekende hij haar voor. 'Je maakt je belachelijk, dat is toch een job voor beginners. Als jij bij zo'n clubje amateurs gaat werken, is dat gewoon zielig. Bekommer je liever om de kinderen, dat is veel belangrijker.'

Elke keer wanneer Dolores het initiatief ontplooide om weer aan de slag te gaan, werkte hij dat tegen. Maar nu heeft ze hem en zijn meningen afgeschreven, en daarmee ook zijn coaching en zijn goede kanten.

Soms geeft Dolores bijna weer toe. Als nieuwkomer, als invalkracht moet ze de stomste cursussen geven op de meest onmogelijke tijdstippen. En financieel wordt ze er inderdaad niet beter van. Maar al gauw merkt Dolores dat ze op de goede weg is. Ze ziet in dat Gregors argumenten niet klopten: ze was geen hypocriet die deed voorkomen dat het haar niet uitmaakte of ze geld had, maar niet meer in staat was een leven op bescheidener voet te leiden. Ze stelt stoer dat haar *inderdaad* niets gelegen is aan die lege, materiële huls. Een bekertje yoghurt in de dansstudio smaakt haar een stuk beter dan een zevengangenmenu in een sterrenrestaurant.

Liefde is fysica

Als de nood aan de man komt, is ze niet afhankelijk van de door Gregor gecreëerde levensstandaard. Deze overtuiging bezorgt haar het prettige gevoel van innerlijke onafhankelijkheid en geeft haar de kracht te werken aan haar langetermijnplan. Ze wil een eigen leven opbouwen. Ze wil nu al emotioneel van Gregor scheiden om later, als de kinderen groot genoeg zijn, deze scheiding ook juridisch en feitelijk door te voeren.

> Het inlassen van tussenstappen vergroot de nauwkeurigheid.

Dit plan vervult haar in het begin van bittere berusting – moet ze dan nog zo lang wachten, zich nog zo lang de beledigingen van Gregor laten welgevallen? Maar al gauw is dat vooruitzicht niet belangrijk meer. Langzaam maar zeker werkt Dolores zich op. Zij zit nu in een heel nieuwe omgeving. Hier begrijpt men haar, waardeert men haar mening, erkent men haar talent. Wat Gregor haar altijd spottend inwreef, blijkt juist een voordeel te zijn: juist omdát ze ouder, honkvaster en ervarener is dan haar jonge concurrentie, die in de dansstudio vaak met weinig overtuiging een tijdje komt werken, krijgt zij al gauw de cursussen met meer prestige, de betere taken.

We maken een laatste sprong van vijf jaar. Dolores en Gregor zijn nog samen – of liever gezegd: ze zijn wéér samen. Hun relatie is bijna weer als in het begin, zij het met dat verschil dat Dolores nu zelfverzekerder is en conflicten niet per se uit de weg gaat.

Heeft Gregor soms nog de drang om geringschattende opmerkingen te maken? Dat zullen we waarschijnlijk nooit te weten komen. In elk geval heeft hij er de kans niet meer voor. De nieuwe vriendenkring – danseressen, kunstenaars, mensen van het cultureel centrum en ouders van de dansschool – zou op dergelijke opmerkingen onthutst reageren, en Gregor is gesteld op deze mensen en wil niet het voorwerp van hun misprijzen zijn. Bovendien weet hij nu zelf wel dat Dolores heus niet vanwege zijn riante inkomen bij hem is gebleven.

Zij heeft haar eigen leven. Ze is niet meer weg te denken uit de dansschool, en de uitvoeringen die ze elk trimester organiseert, zijn hoogtepunten in het plaatselijke culturele leven. De trotse ouders van de aanstormende jonge danseressen die optreden in de dansschool, vormen een reusachtig netwerk van contacten: via dat net heeft Dolores toegang tot alle geledingen van het stadsbestuur.

Twee keer per jaar gaat ze naar internationale dansevenementen – onlangs nog in Barcelona. Met het Spaanse cultuurinstituut heeft ze een uitwisselingsprogramma opgezet. Zij heeft veel gelijkgestemde vrienden die in haar huis een zuiderse sfeer van openhartigheid en gezelligheid brengen. Haar kinderen zijn trots op haar en Gregor neemt met belangstelling deel aan al die activiteiten, net als vroeger toen ze net samen waren. In zijn praktijk hangen affiches van haar voorstellingen. Hij is blij door te gaan voor de 'tandarts met die interessante vrouw'.

Gregor? Heel chic heeft die zich niet gedragen. Zomaar de vertrouwde leefomgeving opgeven en naar een plek verhuizen waar zijn partner helemaal geen trek in heeft, een vroeger zo zelfstandige vrouw ontmoedigen, als man voortdurend haar financiële afhankelijkheid inpeperend, nee, dat is niet aardig. Maar de fysica maalt niet om 'aardig' of 'chic'; in de natuurkunde gaat het om kracht.

Elk lichaam dat kracht uitoefent op een ander lichaam, *ondergaat* ook kracht van dat andere lichaam. Op elk van beide lichamen is dus een kracht werkzaam. Beide krachten zijn even groot en tegengesteld.

Dolores heeft zoals alle mensen kracht, maar in het begin heeft zij nagelaten die uit te oefenen. Aangezien de hoeveelheid kracht of energie in een systeem echter steeds gelijk blijft, ging deze kracht over op Gregor, die daardoor beschikte over meer kracht dan goed was voor hem en voor de relatie. Het systeem raakte uit balans en Gregor ontpopte zich tot een kleine tiran. Zou hij tevreden zijn geweest met de nieuwe situatie waarin zijn relatie verkeerde – met zijn macht en Dolores' afhankelijkheid – dan zou hij mentaal in evenwicht zijn geweest. Dan had hij geen aanleiding gehad Dolores te beledigen en te ontmoedigen. Dat deed hij wel omdat ook hij zijn balans verloor en daardoor ontevreden was.

Tiranniek gedrag duidt op ongelukkigheid en ontevredenheid. Het is bovendien provocerend: het daagt de andere uit zich te verdedigen, weerstand te bieden. Daaruit blijkt de instinctmatige drang van alle materie om een verstoord evenwicht te herstellen.

Was Gregor lief, aardig en vol respect geweest, dan zou Dolores er veel langer over hebben gedaan om haar energie terug te vinden. Hij heeft pressie uitgeoefend om tegendruk teweeg te brengen.

Als er in zulke situaties geen tegendruk komt, dan bezwijkt het systeem daaronder. Dat bezwijken kan bij mensen allerlei vormen aannemen. Zo kan men ziek of depressief worden, maar het kan ook leiden tot een scheiding of een volledig verstoorde relatie.

Zoals Dolores voelen veel vrouwen op zeker moment genoeg druk om in te zien dat ze een fout hebben gemaakt. Ze bevinden zich dan in een positie die ze nooit hebben geambieerd. Vaak beginnen ze dan te morren. Ze klagen over verwende kinderen en over hun ondankbare man. Ze hebben de indruk te hebben gefaald en belanden in een depressie.

Dergelijke reacties hebben geen effect. Een verstoorde balans is te herstellen, maar niet door zelfbeklag. Zelfbeklag is geen natuurkundig gegeven en zeker geen nuttige manier om gebruik te maken van energie.

Waarom treden vrouwen als Dolores niet eerder op en waarom reageren ze, als het zover is, eerst alleen met gemopper en vergelijkbare uitingen van onvrede?

Even ter herinnering:

> De onderlinge krachten tussen de lichamen van een systeem houden zich met betrekking tot dit systeem in evenwicht. Want bij de kracht op een lichaam van het systeem hoort altijd de tegengestelde, even grote reactiekracht op een ander lichaam van het systeem. De beweging van het systeem in zijn geheel wordt door externe krachten bepaald.
>
> Het resultaat van de externe krachten beïnvloedt de beweging van het zwaartepunt van het systeem, als men van rotaties en vervormingen van het systeem afziet.

Wij hebben dus Dolores en Gregor. Door de onderlinge krachten van hun systeem staan zij eerst in evenwicht.

Maar daarnaast zijn er ook nog de *externe krachten*. Daarbij hoort Gregors vriend met zijn voortdurende geklets over de ideale locatie voor die leuke, nieuwe praktijk. Daarbij hoort de opvatting van de omringende samenleving dat een tandarts serieuzer is dan een flamencodanseres, dat het inkomen van de man belangrijker is dan de bijverdiensten van de vrouw, dat de mening van de kostwinner zwaarder doorweegt dan de mening van de echtgenote en moeder.

Ten slotte hebben wij nog de *rotaties en vervormingen*. Daarbij hoort de jeugd van Dolores, de verdwenen vader, die ze een tweede generatie, haar eigen kinderen, niet wilde aandoen. Daarbij hoort ook haar persoonlijkheid, die open conflicten en discussies mijdt.

> Dolores is erin geslaagd de externe krachten uit te schakelen en de rotaties en vervormingen recht te trekken.

En eigenlijk was dat niet zo zwaar, want Dolores heeft een belangrijke ontdekking gedaan: veel weerstanden die er als krachten uitzien, zijn in werkelijkheid maar schijnkrachten waarachter zich geen echte krachten verbergen omdat:

> Schijnkrachten herkent men aan het feit dat er geen tegengestelde krachten zijn.

Dit criterium is heel belangrijk als we echte hindernissen van valse hindernissen willen onderscheiden. Als een hindernis je niet echt objectief kan tegenhouden, als die niet daadwerkelijk de macht heeft je gedrag te beïnvloeden, als je dus geen echte tegenkracht moet ontwikkelen om de hindernis te overwinnen en alleen de mentale kracht moet vinden om het obstakel te negeren, dan gaat het om een schijnkracht. En je moet je absoluut niet door een schijnkracht van je baan laten afleiden.

Je vindt het moeilijk je standpunten luid en duidelijk te verwoorden? En als je goed nadenkt kom je erachter waarom dat zo is? Tijdens je jeugd zag je vader liever voortdurend dat lieve, verlegen, kleine meisje en dat heb je verinnerlijkt?

Dit is een schijnkracht. Haal diep adem en zeg duidelijk wat je ervan vindt. Dat kleine meisje bestaat niet meer, je vader wilde je toch niet voor de rest van je leven onmondig maken en als dat wel zo was, kan hij toch niets meer ondernemen als je je daar nu tegen zou verzetten?

12. Versnelde en vertraagde bewegingen: vrouwen in de samenleving

> De versnelling is positief als de snelheid met de tijd toeneemt. De versnelling is negatief als de snelheid met de tijd afneemt.

Op een schaal van 0 tot 10: hoe zelfverzekerd ben je? In welke situaties ben je zenuwachtig: als een concurrente je bekritiseert? Als je ergens alleen binnen moet gaan? Als je als enige vrouw in een groepje mannen staat te discussiëren? En hoe ziet je privé-leven eruit? Heb je een man? Wil je er een? Wat voor een? Als je er een hebt, wie is dan de baas: hij, jij of geen van beiden?

Dergelijke vragen stelden wij in de herfst van 2000 aan een representatieve groep van 1319 Duitse en Oostenrijkse vrouwen tussen 20 en 50 jaar oud. Het doel van deze enquête* was uitzoeken hoe zelfverzekerd vrouwen zich vandaag voelen, wanneer zij op hun strepen staan, wat hen nog van hun stuk brengt – en hoe zij daarover denken. De in totaal 812 Duitse en 507 Oostenrijkse interviews namen telkens een uur in beslag, tijd genoeg om breeduit het leven en denken van de moderne vrouw te achterhalen.

In opdracht van Procter & Gamble-dochter Always werd deze enquête in Duitsland door het Institut vor Demoskopie Allensbach, en in Oostenrijk door de Ludwig Boltzmann Forschungsstelle für Politik und zwischenmenschliche Beziehungen uitgevoerd.

Daarbij kwamen objectieve en subjectieve vragen aan bod. Hoe leefden die vrouwen – en wat vonden ze daarvan? Wat hadden ze en wat wilden ze? Dit spectrum bood ons de mogelijkheid verlangen en realiteit met elkaar te vergelijken. Maar belangrijker was dat we met dit onderzoek precies konden nagaan wie wat denkt. Werkende vrouwen die alleen leven; huisvrouwen; vrouwen met een fulltimebaan, een goed huwelijk en twee kinderen; deeltijds werkende vrouwen met een wankelend huwelijk en één kind... Duitse en Oostenrijkse vrouwen uit alle mogelijke rangen en geledingen gaven hun meningen en gewoonten prijs.

Wie beslist in je relatie over welke vragen? Wie doet wat bij jou thuis? Wie verdient hoeveel? Lees deze twintig kaarten, welke begrippen schieten je te binnen bij het onderwerp seksualiteit? Beroep, kinderen, mannen, huishoudelijke taken, ouderlijk huis, vriendinnen, vakantie, woonstijl – er werd niets overgeslagen. Wij waren daarbij heel nieuwsgierig en niet erg discreet. Direct, indirect, met spelletjes, tekeningen en soms met kleine trucs prikkelde dit onderzoek de aandacht van de actuele vrouw voor de empirische werkelijkheid.

Eerst werd getest hoe vrouwen op verschillende sleutelbegrippen reageerden. Liefde, moederschap, geborgenheid – welk verlangen deed hun hart sneller slaan? De verrassende winnaar was *zelfverzekerdheid*. De vrouwen moesten de dingen opsommen die ze fijn of belangrijk vonden, of de dingen die ze wilden hebben, en overal stond zelfverzekerdheid ergens bovenaan in het rijtje: 93 procent van de Duitse vrouwen werd alleen al van het begrip enthousiast.

Vrouwen die zich onzeker voelen, haten dit gevoel en willen graag zelfverzekerder zijn. Maar ook vrouwen die zichzelf zelfverzekerd vinden, hebben er nooit genoeg van. Sterker nog! 77 procent van de vrouwen verlangt in veel situaties naar meer zelfverzekerdheid, 22 procent zelfs vaak. 60 procent van de vrouwen die zichzelf onzeker vinden, voelt zich vaak niet helemaal opgewassen tegen een bepaalde situatie. Bij zelfverzekerde vrouwen is dit maar vijf procent.

Hier nog wat resultaten uit de enquête:

Grote zekerheid 8–10	gemiddeld 5–7	weinig 1–4

Je houding in discussies:

	Grote zekerheid 8–10	gemiddeld 5–7	weinig 1–4
ik kan me goed handhaven	76%	42%	11%
ik hou me in	17%	46%	76%
geen mening	7%	12 %	13%

Ben je tevreden met je huidige leven?

	Grote zekerheid 8–10	gemiddeld 5–7	weinig 1–4
tevreden	65%	53%	29%
zou graag dingen anders zien	31%	39%	60%
geen mening	4%	8%	11%

Zou je graag zelfverzekerder zijn?

	Grote zekerheid 8–10	gemiddeld 5–7	weinig 1–4
ja, vaak	5%	32%	60%
nee	39%	10%	5%

Het begrip zelfverzekerdheid of zelfvertrouwen klinkt misschien abstract in vergelijking met veel concretere dingen waarnaar vrouwen kunnen verlangen, of in vergelijking met leuke, romantische wensen. Maar als vrouwen zelfverzekerdheid zo hoog op hun verlanglijstje zetten, geven ze blijk van een goed instinct.

Uit deze studie komt cijfer voor cijfer, percentage voor percentage de onmiskenbare waarde van zelfverzekerdheid in het leven van een vrouw naar voren.

Zelfverzekerde vrouwen zijn gelukkiger. Ze voelen zich ronduit beter en doen het ook overal beter. Als ze erin slagen zelfverzekerd te zijn en zelfverzekerd op te treden, dan volgen alle andere goede dingen haast vanzelf. Van de zelfverzekerde vrouwen is 65 procent tevreden met haar leven, tegen slechts 29 procent van de vrouwen met minder zelfvertrouwen. De goede geest in de fles hoeft geen drie wensen te vervullen voor vrouwen, eentje is voldoende: meer zelfvertrouwen!

De resultaten van het onderzoek gooien nog meer grote en kleine bommen op lang afgebakende opvattingen over mannen en vrouwen.

Mannen zwermen rond de schuchtere fee met haar aarzelende stemmetje en vleiende oogopslag? En dus is het belangrijk je in het bijzijn van mannen wat gematigder op te stellen, je een beetje kleiner voor te doen om hun beschermersinstinct op te roepen en hen niet af te schrikken? Haha, dat dacht je maar! De zelfverzekerde vrouw heeft het mooiste liefdeleven.

In elke man schuilt een pasja en daarom is toewijding, ophemeling en een gezellige thuis de sleutel voor een oertevreden en liefdevolle echtgenoot? *Forget it*! De zelfverzekerde vrouw met een fulltimebaan heeft de aanhankelijkste, inschikkelijkste man.

Je hebt met je partner afgesproken dat hij het geld verdient en in volle vaart carrière maakt, terwijl jij een stapje terug doet, en hij je niettemin als absoluut gelijkwaardige partner respecteert en jij zijn geld als het jouwe kunt beschouwen? Nou en of, en op 5 december komt Sinterklaas! Nee, alleen vrouwen met een eigen inkomen en, je raadt het al, een hoop zelfvertrouwen, worden in hun privé-leven voor vol aangezien en hebben een stem.

De verzamelde gegevens tonen onmiskenbaar aan waar het voor vrouwen op aankomt. Met de precisie van een wiskundige formule kunnen wij uit de cijfers van het onderzoek het recept opstellen voor geluk op privé-vlak, voor succes in de grote, wijde wereld en om gewoon 'goed in je vel te zitten'. Vrouwen met lieve ouders, een hogere opleiding en een fulltimebaan brengen het er ronduit en overal beter van af: in de liefde, op het werk, in het gezin, in de wereld. Ze twijfelen veel minder aan zichzelf, handhaven zich vlot in discussies, krijgen meer hulp in het huishouden, hebben meer plezier in bed. *Those who have, get*, luidt een Amerikaanse zegswijze: Wie al veel heeft, krijgt nog meer. Het is haast onrechtvaardig.

Formuleren we het nu eens niet in de vorm van een spreekwoord, maar op een wetenschappelijke manier, dan is dit een logische conclusie. Goede startvoorwaarden plus een sterke onderhandelingspositie plus zelfvertrouwen is gelijk aan een persoon die zich bewust is van haar waarde en die mogelijkheden heeft. Slechte startvoorwaarden plus een zwakke onderhandelingspositie plus weinig zelfvertrouwen is gelijk aan een kneusje waar anderen een loopje mee nemen. Iets abstracter kunnen we het als volgt formuleren:

Als men bijvoorbeeld de landingsbaan een beetje laat hellen, dan zou de snelheid van het zweefvliegtuig afnemen, ook als men de wrijving verwaarloost. Men spreekt dan van een eenparig vertraagde beweging.

Niet alleen het individuele lot en de individuele persoonlijkheid spelen hier een rol. Hoe het alle vrouwen op maatschappelijk vlak vergaat, dat is de basis voor alles. Ook dat was iets dat die studie moest aantonen en het resultaat was: veel vooruitgang, maar nog veel werk aan de winkel.

De vooruitgang van vrouwen in het privé-leven en op het vlak van seksualiteit is overduidelijk. Hier hebben vrouwen echte triomfen beleefd. De seksuele revolutie heeft weliswaar ook negatieve bijwerkingen, een geniepig boemerangeffect: nog minder seksuele verantwoordelijkheid voor mannen, nog meer gemakkelijke excuses voor ontrouw, nog meer prestatiedruk voor beiden, dat klopt. Maar volgens het onderzoek is de seksuele revolutie in tal van opzichten toch een groot succes. De oude negatieve associaties rond seksualiteit zijn de wereld uit, veel vooroordelen zijn spoorloos verdwenen en daar is niemand rouwig om. Oneindig veel schroot is terecht naar de vuilnisbak van de geschiedenis verwezen. Het is niet eens zo lang geleden, de jaren zestig, dat een ongehuwde vrouw scheef werd bekeken. Waarom wilde die geen man? Daar moest wel iets aan mankeren. Een van onze leraressen op school – een grote, indrukwekkende vrouw van rond de veertig, met een sportief lichaam, technisch talent en energie te over – werd nog met de sierlijke titel 'mejuffrouw' aangesproken. Men had medelijden met een 'kinderloze' vrouw; de mogelijkheid dat dit een bewuste keuze was, kwam bij niemand op. En zo lang is het ook nog niet geleden dat er begrippen bestonden als 'echtelijke plicht' en de opvatting dat vrouwen nauwelijks in seks waren geïnteresseerd. En er gold een dubbele moraal die van mannen vrijwel alles en van vrouwen haast niets accepteerde.

Deze tijden zijn, in Duitsland en Oostenrijk in elk geval, voorgoed voorbij. Zelfs in geheugenspelletjes kunnen vrouwen niets meer aanvangen met deze verouderde ideeën. Toen ze deze begrippen in de vragenlijst ontdekten, stonden ze versteld. Gescheiden vrouwen legden bij negatieve begrippen zoals geweld of plicht iets vaker een verband met seksualiteit dan getrouwde vrouwen – vermoedelijk hebben ze nare dingen meegemaakt – in elk geval verkeren ze niet langer in deze situatie.

Kort gezegd hebben vrouwen tegenwoordig opties. Ze kunnen uit verschillende manieren van leven kiezen en daarbij toch een respectabele plek in de samenleving innemen. Dat vindt zijn weerslag in de weigering om een oordeel te vellen over bepaalde besluiten in hun leven. Wat vinden zij bijvoorbeeld van 'alleenstaand'? De meeste vrouwen kunnen of willen deze vraag gewoon niet beantwoorden. Veel vrouwen vinden het leuk alleen te leven, andere voelen zich misschien eenzaam, maar een genuanceerder oordeel moet je bij vrouwen niet verwachten. Een moderne vrouw ziet er het nut niet van in de persoonlijke levenskeuze van andere vrouwen te analyseren.

Nog interessanter is dat de begrippen 'partnerschap' en 'huwelijk' niet meer intrinsiek met elkaar verbonden zijn. Vrouwen ambiëren een goede, innige, harmonische, uitzonderlijke relatie met een mannelijke levenspartner en alles wat daarbij hoort – trouw, vertrouwen, samenhorigheid, welwillendheid. Liefde, vrienden, gezin, deze dingen zijn voor vrouwen heel belangrijk.

Het huwelijk niet zozeer. In vergelijking met vroeger staan veel vrouwen tegenwoordig echt sceptisch tegenover dit instituut. Als het onze job was instituten uit te vinden, zouden we deze zeker door een ander vervangen. Vrouwen willen duurzame relaties met mannen, maar met het huwelijk hebben ze in het verleden slechte ervaringen gehad en daar staan ze wantrouwig tegenover.

Vrouwen zijn sterk in het lijf-aan-lijfgevecht

Kennelijk zijn vrouwen niet te kloppen in het lijf-aan-lijfgevecht. Hier kunnen ze zich het best handhaven. Dat geldt zowel in de relaties tussen de verschillende seksen als algemeen in hun sociale leven.

In hun 'één-tegen-ééninteractie' en 'confrontatie' met mannen voelen vrouwen zich inmiddels echt zeker. Ze hebben ook niet langer de indruk dat ze in een kleinere groep mannen 'weggepraat' worden.

Van de vrouwen met een relatie voelt 78 procent zich daar tevreden mee. De meesten hebben ook het gevoel thuis in een democratie te leven waar geen van beide partijen het laatste woord heeft of waarin de partners elkaar in die rol afwisselen. Slechts een kleine minderheid (11 procent) klaagt over een partner die hen domineert – en evenveel vrouwen geven toe dat ze in hun relatie zelf de dominantere rol spelen.

Vrouwen hebben het wel moeilijker in grotere groepen of in anonieme situaties, en in het algemeen in de grote buitenwereld. 'Als ik anderen moet toespreken' en 'als anderen me kritiek geven' zijn twee situaties waarvoor vrouwen terugdeinzen en waarin ze graag wat mondiger zouden zijn.

Waar zijn de goede mannen?

Voor het geval je een leuke man wilt ontmoeten: dit onderzoek zegt je waar en hoe. Op de eerder ironische vraag van veel vrouwen waar al die goede mannen zich toch verstoppen, geven onze tabellen een duidelijk antwoord. Deze mannen zijn gereserveerd voor een bepaalde soort vrouw. Jazeker, het zijn de vrouwen met een hogere opleiding, een voltijdse baan en een zelfverzekerd optreden die de prachtexemplaren aan de haak slaan. (En zij hebben bij hun zoektocht weinig baat bij een leuk kapsel, een inschikkelijk karakter of de bereidheid helemaal of toch minstens gedeeltelijk thuis te blijven om het zware leven van hun geliefde te lenigen.)

Na hun 40-urige werkweek kletsen deze paren nog gemoedelijk over de aanstaande vakantie en doen dan samen nog snel even de afwas, voordat ze zich terugtrekken om dan tot overmaat van ramp ook nog eens betere seks te hebben.

Verrast? Theoretisch zou het ook anders kunnen. Het had bijvoorbeeld zo kunnen zijn dat traditionele huwelijken minder stress geven omdat ieder zijn werk en zijn eigen domein heeft. Of het had zo zijn kunnen dat minder zelfverzekerde vrouwen minder eisen stelden en dus ook tevredener zijn.

Deze ideeën duiken tegenwoordig nog wel eens op in het conservatieve kamp: te veel opleiding maakt vrouwen ontevreden omdat ze zo grootse ideeën ontwikkelen en eisen gaan stellen, terwijl ze vroeger bescheidener en ook gelukkiger waren. Of de opvatting dat traditionele gezinnen beter functioneerden omdat niet voortdurend over macht of bevoegdheden moest worden geruzied.

Dat blijkt in elk geval niet waar te zijn. Nederigheid, bescheidenheid en geluk zijn drie dingen die absoluut niet samengaan. Het meest ontevreden met hun huwelijk of relatie – het gaat om een onmiskenbare 44 procent van alle geïnterviewden – zijn vrouwen met weinig zelfvertrouwen.

Je beweegt je op glad ijs

Hieronder staat een lijstje met situaties waarin vrouwen heel zenuwachtig zijn, situaties die ze helemaal niet prettig vinden. De dingen die het vaakst werden genoemd, waren:

(in procenten, antwoord op de vraag in welke situaties vrouwen zich soms onzeker voelen; vrouwen tussen 20 en 49)
Als ik word bekritiseerd 70
Als ik niet de geschikte kleren draag 67
Als ik anderen moet toespreken 65
Als ik in een gezelschap kom waar ik nauwelijks iemand ken 64
Als ik merk dat iemand anders meer weet dan ik 57
Als ik iemand ontmoet die mij niet leuk vindt 55
Als ik ergens alleen binnenkom 50

Een aantal van deze punten geldt waarschijnlijk voor mannen en vrouwen. Wie krijgt er nu graag kritiek? Mannen zeker niet. Anderen toespreken, de aandacht van een publiek op je gericht weten? Er zijn genoeg mannen die zich dan ook ongemakkelijk voelen. Maar vrouwen hebben het daar toch moeilijker mee en ze vinden dat mannen in elk geval beter bluffen en daar voordeel bij hebben.

Moeder bij de (crisis)haard?

Met de antwoorden van alle geïnterviewde vrouwen konden wij de 'doorsneevrouw' samenstellen. En deze doorsneevrouw oordeelt veel radicaler over principiële maatschappelijke vraagstukken dan wij vermoedden, ze uit zich namelijk niet in radicale bewoordingen.

Gelijkheid is volgens 69 procent van de Duitse vrouwen nog niet voldoende gerealiseerd en er moet volgens hen nog veel gebeuren. Dat is een hoog cijfer, eerlijk gezegd hoger dan wij hadden gedacht. Vier dingen ontmoedigen vrouwen heel sterk: de salariskansen van vrouwen in vergelijking met mannen (80 procent is daarmee niet tevreden), de kansen van vrouwen om op politiek vlak invloed uit te oefenen (68 procent voelt zich onvoldoende vertegenwoordigd), de ongelijke, kritischere beoordeling van vrouwelijk gedrag in vergelijking met die van mannelijk optreden (60 procent vindt dat onrechtvaardig) en de Kerk in het algemeen (59 procent pleit voor verbetering).

Dat is een enorm gebrek aan vertrouwen, dat zich over alle basissectoren van onze maatschappij uitstrekt: economie, politiek, het sociale leven, godsdienst. Deze cijfers zijn niet te onderschatten: de ervaring leert dat als meer dan de helft van een groep bezwaren heeft, het slechts een kwestie van tijd is voor de ergernis aan de oppervlakte komt en een politieke uitlaatklep zoekt.

In het geval van vrouwen ligt het onrustpotentieel nog braak, omdat geen enkele partij of beweging zich achter dit thema heeft geschaard. Het gros van de vrouwen voelt zich niet begrepen of vertegenwoordigd door het 'feminisme'. Tegenstanders zijn erin geslaagd deze beweging een slecht imago te bezorgen, dat door de gemiddelde vrouw is overgenomen. Maar ze moeten niet te snel victorie kraaien. Vrouwen staan misschien afwijzend tegenover het etiket, maar geenszins tegenover de inhoud.

Vrouwen oordelen trouwens milder over sectoren als sport, media en opleiding. Daar stemmen de verworvenheden tot tevredenheid.

Je opwerken in het bedrijf

Wie zelfverzekerdheid wil opbouwen, moet gaan werken. Daarover zijn werkende en niet-werkende vrouwen het roerend eens. Slechts één derde van de vrouwen vindt dat je zelfverzekerdheid aan je partner ontleent.

Volgens vrouwen zijn dit de bouwstenen voor zelfverzekerdheid: geld van huis uit, succes op je werk, een beroep en een goed inkomen. Pas dan volgen het hebben van een partner en kinderen.

Dat is ten minste hun perceptie, maar hoe zit het in werkelijkheid? Dat konden we bij deze enquête ook nagaan. Welke vrouw komt uit de bus als 'zeer zelfverzekerd'? Dat vrouwen het hebben van een beroep – en daarmee samenhangende zaken als eigen geld, vakbekwaamheid en bevestiging – op de eerste plaats zetten, lijkt te stroken met de feiten. We zien dat 53 procent van de vrouwen die fulltime werken zich heel zelfverzekerd voelt. Bij parttimers is dat 43 procent en bij huisvrouwen slechts 38 procent.

Onder vrouwen bestaat ook consensus over het feit dat het hebben van een beroep afgezien van het geld, nog een hele reeks andere voordelen met zich meebrengt – al mogen we het inkomen niet verwaarlozen: 88 procent noemt het inkomen als het leukste aspect van werken. Vrouwen vinden dat hun beroep hun leven afwisselend maakt (78 procent); dat hun werk maakt dat ze onder de mensen komen (68 procent); dat ze erkenning krijgen voor hun inspanningen (67 procent) en dat het 'gewoon leuk' is om deel uit te maken van het werkzame leven. Nadelen worden zelden genoemd, hoewel veel vrouwen erkennen dat hun beroep hun 'heel veel kracht' kost.

Zelfvertrouwen begint in het ouderlijk huis

Zelfverzekerdheid mag dan voor een deel zijn aangeboren, bij de overgrote meerderheid is zelfverzekerdheid aangeleerd. Zelfverzekerde vrouwen beschrijven hun jeugd significant anders dan minder zelfverzekerde vrouwen. Als een meisje opgroeide in een gezin waar veel werd gelachen en waarin zelfstandigheid gold als belangrijk doel van de opvoeding, en als de vader een leuke vent en kameraad was, dan is de kans groter dat dat meisje zich veel eerder ontwikkelt tot een zelfverzekerde vrouw. Wie het daarentegen had te stellen met een autoritaire vader en streng werd opgevoed, lijkt dat niet zo snel – soms helemaal niet – te boven te komen.

Andere elementen – zoals een scheiding van de ouders – lijken beter te worden verwerkt, wanneer de sfeer in het gezin al met al toch goed is en als ten minste een van de ouders een nauwe band heeft met de dochter.

Nieuwe mannen graag gezien

Uit een lang en gevarieerd verlanglijstje moesten de ondervraagde vrouwen de vijf eigenschappen kiezen die ze het liefst bij mannen zien. Opvallend was dat de klassieke clichématige eigenschappen van de 'ideale vent' nauwelijks werden genoemd. Zaken als ambitie, vastberadenheid en een zelfverzekerd optreden lieten de geïnterviewden eigenlijk koud. Het waren heel andere punten die in hun hitparade bovenaan stonden (de getalswaarden zijn in procenten uitgedrukt en vertegenwoordigen de resultaten van de in Duitsland ondervraagde vrouwen):

Wat vrouwen bijzonder waarderen bij mannen:

Trouw	77
Vertrouwelijkheid	71
Eerlijkheid	67
Warmte, hartelijkheid	57
Gevoel voor humor	52
Openheid qua gevoelens	51
Inlevingsvermogen	48
Intelligentie	45
Zelfverzekerdheid	29
Vriendelijk, open karakter	29
Bereidheid concessies te doen	25
Gevoeligheid	23
Sociabele instelling	20
Goed uiterlijk	19
Interesse voor mensen	19
Ambitie	16
'Een man voor alle gelegenheden' (slaat goed figuur in jeans én in smoking)	16
Vastberadenheid	14

Trouwens, de 'huisman' is lang niet de schertsfiguur die wel van hem wordt gemaakt. In elk geval niet in de ogen van de Oostenrijkse vrouwen, die vinden dat type juist uitgesproken sympathiek. Dus vergis je niet, heren: hier ligt echt een gat in de markt voor mannen die graag experimenteren en reizen. Kookboek in de koffer, ski's op het dak van de auto en hupsakee richting Alpen met jullie! De Weense deernen staan te trappelen.

Mannen en vrouwen vergeleken

Als we het hebben over zelfverzekerdheid, beschouwen vrouwen de mannen nog altijd als het sterkere geslacht. Op dat vlak hebben mannen gewoon een voorsprong, vinden vrouwen. Mannen twijfelen minder aan zichzelf, zitten beter in hun vel en zijn positiever ingesteld. En als dat niet het geval is, zijn ze nog altijd beter in staat om te doen alsof.

Vrouwen vinden hun vader zelfverzekerder dan hun moeder en hun eigen partner slaan ze qua zelfverzekerdheid hoger aan dan zichzelf. Uit onze randinterviews bleek dat vrouwen de mannen enorm benijden om dat veronderstelde voordeel. Een stabieler ego is een voorsprong die mannen hebben op vrouwen en is kennelijk iets waarmee ze worden geboren. Een vrouw schetste ons ter illustratie het tafereel wanneer zij 's avonds uitgaat met haar man en twee zoons. 'Die drie kerels werpen bij het vertrek allemaal nog even een blik in de spiegel en zijn tevreden met zichzelf. Maar ik sta wanhopig met de kam in mijn hand en denk: mijn god, kind, wat zie *jij* eruit!' Er is een ander verschil dat vrouwen menen te zien tussen de seksen dat mannen waarschijnlijk minder vleiend vinden. Ze zijn namelijk van mening dat mannen veel afhankelijker zijn van statussymbolen (57 procent) dan vrouwen (16 procent van de vrouwen vindt dat van zichzelf). Vrouwen geven wel toe dat voor hen het uiterlijk belangrijker is dan voor mannen en dat hun zelfverzekerdheid eerder wordt beïnvloed door het gedrag van hun man dan omgekeerd.

Kunt u mij de weg naar zelfvertrouwen vertellen?

Vrouwen willen goed voor de dag komen, dat weten we. Maar het zijn al lang niet meer de manicure en de kapsalon die daarvoor moeten zorgen. Moderne vrouwen gaat het in eerste instantie om hoe ze overkomen in het openbaar. Zou er een zelfzekerheidssalon bestaan, dan zou de helft van de vrouwen ogenblikkelijk een afspraak maken. Het gebrek aan zelfvertrouwen in het openbaar ervaren vrouwen echt als een manco. De twee meest genoemde wensen om daaraan te werken: cursussen om te leren hoe ze hun kwaliteiten het best inzetten en lessen 'spreken in het openbaar'.

Vrouwen hebben vooral het gevoel dat zij anders en kritischer worden beoordeeld dan mannen. En daar worden ze zenuwachtig van. Zelfverzekerd optreden, vrezen ze, is een soort koorddansen, want te veel zelfverzekerdheid wordt bij vrouwen meteen uitgelegd als arrogantie.

Trouwens, op een schaal van 1 tot 10 schatten de vrouwen zich gemiddeld in op een zeventje als het gaat om zelfverzekerdheid. En jij? Welk cijfer geef jij jezelf? Als je op dit vlak wat beter wilt 'presteren', neem dan de volgende punten ter harte:

1. Zelfverzekerd *ben* je niet, je *wordt* het. Zelfverzekerdheid is evengoed aan te leren als de tango of Franse woordjes. Blijf jezelf niet voorhouden dat je nu eenmaal een verlegen type bent, dat je slecht tegen kritiek kunt en dat het je nooit zal lukken een overtuigende speech te houden. Dat valt allemaal te leren, en het best op drie manieren: van vrouwen die daar goed in zijn en je tips geven, via cursussen en uit boeken. In die volgorde.

2. De wereld vergaat heus niet zo snel als veel vrouwen denken. Probeer jezelf wat te harden. Angst voor pijnlijke situaties, voor kritiek en voor afwijzing, maakt dat vrouwen zich onnodig op de vlakte houden. Je moet je alles niet zo aantrekken. Hou er mee op om foutjes zo vreselijk te overschatten.

3. Zit je nog op school of studeer je nog? Doe dan je best, want vrouwen met een goede opleiding zijn gelukkiger, veel zelfverzekerder en krijgen leukere mannen.

4. Werk je de hele dag? Prima! Veel vrouwen denken dat ze met een parttimebaan meer tijd hebben voor hun relatie en dat de zaken soepeler lopen als ten minste één partner qua tijdsindeling flexibel is. Veel vrouwen denken er zelfs over hun baan op te geven en thuis te blijven zodat ze er altijd zijn voor hun gezin. Nou, die vlieger gaat dus niet op. De beste, gelukkigste, stabielste relaties zijn weggelegd voor vrouwen die hun relatie beschrijven als een partnerschap en een democratisch gebeuren, die een hogere opleiding op zak hebben en die fulltime werken.

5. Ongelukkig zijn is *killing* voor je zelfverzekerdheid. Als je ongelukkig bent in je huidige situatie, zet er dan een punt achter, hoe eerder hoe liever. Ongelukkig zijn vréét kracht en ontneemt je alle moed. Neem gerust risico's, want de ervaring van de overweldigende meerderheid van vrouwen spreekt boekdelen: na een breuk of een ingrijpende verandering wordt de situatie haast altijd beter dan voorheen. Vrouwen leren van hun fouten en tegenslagen en komen zelfverzekerder uit de strijd.

13. Fysica voor je leven – praktische toepassingen

Fysica is ondenkbaar zonder experimenten – dat weet je vast nog wel van al die (on)gelukkige uren in de natuurkundeklas. We hebben in de vorige hoofdstukken opnieuw kennisgemaakt met belangrijke wetten en inzichten van de fysica. In dit slothoofdstuk is het de bedoeling die inzichten aan de hand van praktijkoefeningen te verdiepen.

Energie

Ben je moe? Gestrest? Heb je soms het gevoel dat je een onevenredig groot deel van het werk moet opknappen? Waar is je energie naartoe gegaan? Daar zullen we snel achter komen.

> Wat aan warmte-energie aan de omgeving wordt afgegeven, kan soms als verlies van mechanische energie worden beschouwd.
> Energie treedt op in verschillende verschijningsvormen en kan van één vorm in een andere worden omgezet.
> Energie gaat niet verloren en ontstaat niet opnieuw, maar treedt enkel in verschillende vormen op.

Bij dit eerste belangrijke punt gaat het erom je energie weer in balans te brengen. Daar zijn twee voorwaarden aan verbonden:

• warmte-energie en mechanische energie moeten even groot zijn en
• de energie die je ontvangt moet gelijk zijn aan de energie die je geeft.

Warmte-energie is energie die te maken heeft met gevoelens en aanwezigheid. Voorbeelden van zaken waaraan je warmte-energie besteedt, zijn:
• op de late zondagochtend een gezellige brunch klaarmaken;
• aandachtig iemands probleem aanhoren;

- zorgen voor een goede sfeer en anderen opvrolijken;
- taken van iemand overnemen wanneer die iemand overbelast is.

Als we het hebben over handelingen die bij een ander een gevoel van warmte, geborgenheid en geluk oproepen, wil dat zeggen dat de 'gevende' persoon warmte-energie afgeeft. De klassieke vrouwelijke beslommeringen met kinderen en het huishouden, maar ook de rol van de vrouw in een relatie, vallen vrijwel altijd in het domein van de warmte-energie. Mechanische energie daarentegen is energie die je dichter bij een concreet persoonlijk doel brengt.

Belangrijk: bij twijfel is het *doel* doorslaggevend. Als je naar het fitnesscentrum gaat omdat je slanker en mooier wilt worden zodat je man geen dikkerdje meer tegen je zegt, dan hebben we te maken met warmte-energie. Ga je naar de fitness omdat je je bloedsomloop wilt stimuleren of omdat je lichaamsgewicht gevaarlijk dicht tegen de limiet zit voor je beroep (als stewardess bijvoorbeeld), dan gaat het om mechanische energie.

Het is van belang dat onderscheid goed voor ogen te houden. Veel vrouwen merken dat ze in hun leven een groot tekort aan mechanische energie hebben. Dat tekort compenseren ze met activiteiten die op mechanische energie lijken, maar dat niet zijn. Handwerken bijvoorbeeld heeft veel weg van mechanische energie omdat het gaat om een handeling met een zichtbaar resultaat. Maar wanneer dat gehaakte kleedje ter verfraaiing van het huis op een tafeltje ligt, dan is dat kleedje eerder het product van de besteding van warmte-energie.

Omdat vrouwen zo vertrouwd zijn met warmte-energie, proberen ze die energievorm vaak om te zetten in mechanische energie. Om in hun werk op te klimmen proberen ze bijvoorbeeld heel leuk, aardig en hulpvaardig te zijn.

Maar denk eraan: *het is niet mogelijk om voor jezelf warmte-energie om te zetten in mechanische energie.*

Wat bereik je dan wel met zo een strategie? Andere mensen (je baas of collega's) absorberen jouw warmte-energie en ontlenen daaraan *voor zichzelf* extra mechanische energie.

Een andere foute inschatting van vrouwen is dat ze denken dat het afgeven van warmte-energie automatisch leidt tot een terugbetaling in de vorm van een gelijke hoeveelheid warmte-energie. Ook dat is niet waar, en niet alleen in natuurkundig opzicht.

Voorbeelden van echte mechanische energie zijn: het volgen van een bij-scholingscursus, een proefschrift schrijven en verder vrijwel alle beroeps-activiteiten die een inkomen opleveren.

De energie die mannen inzetten is voor het merendeel mechanische energie.

Het is heel nuttig je een goed beeld te vormen van je eigen energieverde-ling. Pak daarvoor een blad papier en trek in het midden een verticale lijn. Noteer links alle dingen die je in een week zoal doet en die in de cate-gorie warmte-energie horen, en schrijf rechts de activiteiten die als inzet van mechanische energie zijn te kenmerken. Hoe ligt de verhouding?

Zeker als we kijken naar de warmte-energie is het heel nuttig om je eigen energiebeleid goed door te hebben. Neem nu gisteren. Wat heb je giste-ren gedaan om het anderen naar de zin te maken? En wat hebben ande-ren gedaan om jou een plezier te doen? Kun je spreken van een redelijke verhouding?

Als vrouwen het gevoel hebben of gewoon weten dat die verhouding helemaal niet zo redelijk is, dan reageren ze vaak met verwijten. Dat is wel begrijpelijk, maar veel effect zal dat nooit hebben. In plaats daarvan moeten er twee andere dingen gebeuren:

Ten eerste moet de vrouw haar eigen optreden bijstellen. Zijn de dingen die ze voor anderen doet wel nodig en gewenst? Veel vrouwen lijden aan betuttelingmanie. Ten aanzien van een mannelijke partner vervallen ze snel in een allesomvattende overbezorgdheid. Hij kan niets doen zonder dat zij al heeft bedacht hoe hij iets beter, sneller, mooier, juister en goed-koper zou kunnen aanpakken.

Waarom doen vrouwen dat? Voor een deel omdat ze daadwerkelijk praktischer zijn ingesteld – een fatale gave waarmee ze maar beter niet te koop lopen of die ze beter kunnen toepassen op andere gebieden – maar voor een belangrijk deel ook om zichzelf onmisbaar te maken.

Die tweede tactiek werkt dus absoluut niet. Energiepolitiek heeft niets met liefde te maken. Worden wij verliefd op Saudi-Arabië omdat het land zo veel olievelden telt? Geen man – in elk geval geen man die je zou willen hebben! – wordt verliefd op je en zal voor immer en altijd bij je blijven omdat jij toevallig een betere werkster kent of omdat je hem her-innert aan de verjaardag van zijn broer.

Ten tweede moet de vrouw concrete stappen nemen om te komen tot goede afspraken op het vlak van energiepolitiek. Iets onverklaarbaars weerhoudt vrouwen ervan dat te doen. Ze houden liever een heel verhaal over het rechtvaardigheidsbeginsel dan dat ze een duidelijk plan opzetten om tot een eerlijke taakverdeling te komen.

Emma is een vrouw die de zaken beter aanpakt. Ze is 34 jaar en runt een groot reisbureau. Nadat ze van haar oertraditionele man was gescheiden, besloot ze het de tweede keer slimmer aan te pakken.

'Zo nam ik het besluit om geen taken over te nemen waar ikzelf niets aan had. Ik heb zelf geen kleren die ik moet strijken; ik koop altijd dingen die je na het wassen zo in de kast kunt hangen. Ik heb wel een paar mooie mantelpakjes, maar die gaan sowieso naar de stomerij.'
Haar man is echter advocaat en werkt in een formelere omgeving. Hij moet elke dag een gestreken en gesteven shirt dragen, vaak zelfs twee per dag omdat hij ook 's avonds afspraken heeft. Hij laat zijn hemden op de zaak strijken en wast ze zelf. Emma ziet in haar omgeving dat zo een voor de hand liggende afspraak vrij ongebruikelijk is. 'Vrouwen nemen ongelooflijk veel van die banale routinekarweitjes op zich en blokkeren zo hun energie en hun mogelijkheden', meent ze.
Wat het gemeenschappelijke deel van het huishouden betreft, stond van meet af aan vast dat ze beiden een even groot deel van dat werk op zich zouden nemen. Toch zegt Emma:
'Hoewel wij duidelijk hebben afgesproken dat we in principe samen het huishouden doen, dat ik in principe de boodschappen doe en dat hij in principe kookt, waren er toch steeds aanvaringen en ruzies. En dan stond ik daar als een domme troel te jammeren met dat typische overspannen stemmetje: "Ik doe hier alles en jij doet niks!" Nou, dat werkt dus totaal niet: de man haalt eigenlijk alleen zijn schouders op en zegt: "Kom, verpest onze zaterdag nu niet."
Toen zag ik dat het bij ons eigenlijk niet ging om 'wie' of 'wat', maar om 'wanneer'. Ik vond veel eerder dan hij dat iets dringend gedaan, schoongemaakt of opgeruimd moest worden. Dat hebben wij opgelost door precies vast te leggen wat we op welke dag moeten doen. Dat is niet moeilijk te bepalen: in ons geval besteden we er een deel van het weekend aan.
Het werkt goed, afgezien van een enkele absurde toestand. Zo was ik op een dag bezig de ramen te lappen, terwijl hij de openslaande deuren deed. Hij kreeg hoofdpijn en zei dat hij de laatste deur later wel zou doen. Dat was elf maanden geleden en die ene tuindeur is nog altijd niet

schoongemaakt. Inmiddels vind ik het prachtig om langs die deur te lopen: ik word er elke keer weer vrolijk van!

Ik denk dat vrouwen op dat punt wat losser moeten worden, maar er tegelijkertijd op moeten staan dat mannen bepaalde dingen wel dóén – en eigenlijk gaan die twee dingen hand in hand.'

Liefde – Tussen versmelting en golfsysteem

Nabijheid en gemeenschappelijkheid voelen, zichzelf daarbij niet verliezen en de relatie duurzaam vormgeven, zonder elkaar te beperken of van elkaar te vervreemden. Die doelen lijken heel moeilijk, haast onmogelijk te realiseren, tenzij we de fysica te hulp roepen. Want wat voor mensen misschien heel moeilijk is, lukt een golfsysteem zonder enige moeite.

Een golfsysteem is zelfbewust. Ook als een golf zijn oorsprong ontleent aan een steentje of een regendruppel in een vijver, hij breidt zich zelfbewust uit over het wateroppervlak. Het systeem weet dat het precies dezelfde legitimatie heeft als de golven die zijn veroorzaakt door een oceaanstomer.

Een golfsysteem laat zich nooit van zijn koers afbrengen. Wanneer het een tweede, sympathiek golfsysteem ontmoet, gedraagt het zich bepaald niet als een muurbloempje, maar geeft het zich onbevangen over aan de turbulenties van die ontmoeting. Daarna vervolgt het onverstoord zijn eigen weg.

Een golfsysteem gelooft in zichzelf. Ook na de wildste ontmoeting geeft het niets prijs van zijn integriteit. Het systeem komt nooit in de verleiding zich over te geven en zich aan te sluiten bij het andere golfsysteem.

Een golfsysteem heeft een extatisch liefdeleven. Bedwelmende amplitudes, versnellingensvectoren die onophoudelijk in hevigheid toenemen... nee, wat golfsystemen zoal uitvreten, is zeker niet geschikt voor alle leeftijden.

Laten we altijd, al bij de eerste kennismaking, het voorbeeldige gedrag van golfsystemen voor ogen houden:

> We verwekken gelijktijdig aan beide uiteinden van een golfmachine of een uitgerekte spiraalveer telkens korte zijwaartse slingerbewegingen (...) dan ontmoeten deze elkaar als golftoppen op dezelfde drager.

Ze vinden elkaar aantrekkelijk. Prille liefde! Ze willen niets anders dan heel dicht bij elkaar zijn.

> Op het moment van de ontmoeting overlappen ze elkaar en vormen dan een golftop met dubbele amplitude.

Wie nog geen 18 is, vragen wij de volgende alinea over te slaan; hier wordt het wel heel intiem:

> Op het moment van de ontmoeting voegen de slingerbewegingen zich samen; ze verdubbelen juist op het moment dat beide golftoppen over elkaar komen te liggen. Ook de versnellingsvectoren voegen zich op dat moment samen.

Hot stuff! Maar het leven bestaat uit meer dan dat alleen. Golfsystemen weten dat.

> Deze gespannen toestand kan echter niet blijven bestaan; de energie die erin besloten ligt, wordt naar beide richtingen van de drager afgevoerd.

Op de passionele liefdesnacht en de wittebroodsweken volgt onvermijdelijk weer de realiteit van alledag. Bij mensen vervalt een van beide golfsystemen, meestal het vrouwelijke, vaak in de misvatting dat het leven alleen nog bestaat uit het najagen van het extatische moment van versmelting en dat het de rest van zijn tijd voortaan moet slijten achter zelfgehaakte gordijnen in een rijtjeshuis, wachtend op het moment dat het tweede, mannelijke golfsysteem 's avonds thuiskomt en zegt dat het het vrouwelijke golfsysteem liefheeft. Zulke fouten maken echte golfsystemen niet.

Liefde is fysica

De twee oorspronkelijke golftoppen maken zich weer van elkaar los en vervolgen energiek hun traject naar links en rechts. Hun interferentie heeft geen interne verstoring tot gevolg gehad.

En hier, precies hier, ligt de grote uitdaging voor mensen: elkaar overlappen, elkaars versnellingsvectoren op uitzinnige wijze samenvoegen, maar daarna geen blokkade doen ontstaan of het elan smoren.

Hoe dat bij mensen werkt, laten Gero en Melissa zien. Dit koppel is al 21 jaar bij elkaar en als je ze samen meemaakt, merk je meteen dat de vonken nog altijd over en weer vliegen.
'Een atypische, bevoorrechte verhouding', zul je misschien meteen mopperen, wanneer we vertellen dat Melissa een eigen bedrijfje heeft dat films produceert en dat Gero documentaires maakt, maar die opvatting is niet houdbaar. Precies zoals ze hun relatie naar eigen goeddunken hebben opgebouwd, zo hebben ze ook hun huidige professionele loopbaan vanuit het niets gestalte gegeven. Melissa was secretaresse toen ze met drie vriendinnen een bedrijfje opzette, Gero gaf zijn baan op, trok bij Melissa in en begon met veel moeite en risico's eigen projecten op te zetten.
Wat de relatie betreft, bestaat de truc van Melissa en Gero erin drie din gen los van elkaar te zien: 'de interesses die we delen, de interesses die we opgeven en de interesses waaraan we los van elkaar aandacht besteden.'
Wat heel logisch en doodgewoon klinkt, was een proces.
De gemeenschappelijke interesses waren vrij evident: om te beginnen was er het werk dat altijd gespreksstof te over opleverde en ook werkten ze wel eens samen aan eenzelfde project. Dan was er de sport: skiën, lange fietstochten, bergwandelingen. En Melissa's neefje, de zoon van een gestreste alleenstaande moeder, werd algauw een soort gezamenlijk kind, dat niet af en toe bij Melissa en Gero op bezoek kwam, maar een aanzienlijk deel van hun dagelijks leven ging innemen. Maar er waren andere dingen die ze minder gemakkelijk samen konden doen.
Zo was er het zeilen. Dat was Gero's passie en Melissa zag het enorm zitten om zich op die nieuwe hobby te werpen. Tenslotte was ze een sportieve meid, gek op water en dolgraag buiten. Maar ze bleek zeilen ronduit vreselijk te vinden. Zelfs met de beste wil van de wereld lukte het haar niet er plezier in te krijgen. Gero besloot daarop die hobby maar te laten varen.

'Ik vond het tof van hem dat hij bereid was dingen op te geven', herinnert Melissa zich. 'Toen hij ophield met zeilen, zei hij dat het zeilen voor hem meer was dan een sport, eerder een manier van leven. En dat de vrije tijd een probleem zou worden als maar een van de twee van varen hield.'

Maar zeilen was niet de enige passie die Melissa niet met Gero kon delen: er was ook nog zijn leven als fijnproever.

'Hij drinkt graag bijzondere wijnen en vindt het prachtig om in top-restaurants te eten. Zijn ouders hebben een hotel, dus die voorkeur heeft hij van huis uit. Maar mij interesseert het geen bal. Oké, ik eet ook graag lekker, maar dat vijfsterrengedoe vind ik helemaal niks. Ik word al dood-moe van het tempo. Ik kan het niet opbrengen om bij "Comme chez Soi" geduldig zeven gangen af te wachten. Maar hij kickt daar echt op.

Een sigaar roken waarvan de kwaliteit eerst een kwartier wordt bejubeld, dan met de kok de vakidioot uithangen over prutsdetails... Nee, ik trek dat gewoon niet. Maar ja, Gero kookt zelf ook veel en haalt allerlei kookboeken in huis. En ik sta nooit in de keuken. Hij kookt elke dag, ik nooit.'

Om de paar weken, wanneer Melissa voor haar werk op reis moet, en soms ook vaker, gaat Gero met een deskundige vriend naar "Comme chez Soi" of een andere, alom geprezen gourmettempel.

Anderzijds houdt hij zich verre van Melissa's 'aanstellerig extraverte' vriendenkring. 'Toen we elkaar net leerden kennen, was dat best moei-lijk', vertelt Melissa. 'Als ik met vrienden afsprak, zei hij amper een woord. En toen begon hij uitnodigingen af te slaan. Hij zei dan gewoon dat hij geen zin had en niet meeging. Ik wist niet wat ik ermee aan moest en ook niet wat ik tegen die mensen moest zeggen. Ik vond het veel te pijnlijk om de waarheid te vertellen en zei dan maar dat Gero ziek was of hoofdpijn had. Maar dat werkt dus niet, want dan zeggen de mensen: "Joh, helemaal niet erg, dan verschuiven we de afspraak toch gewoon! Dan spreken we toch af voor aanstaande zaterdag..." Dus dat was geen oplossing. Op zeker moment heb ik mijn vrienden dan toch maar ver-teld dat hij gewoon niet *wilde* komen, dat ze voortaan mij maar alleen moesten uitnodigen, omdat Gero toch niet mee zou gaan. Wat kan mij het schelen of ze hem nu een eikel vinden, dacht ik bij mezelf. Maar daar was helemaal geen sprake van: feit is dat iedereen hem juist een geschik-te vent vindt. Niemand zit ermee of hij nu wel of niet meegaat: negen van de tien keer is hij er gewoon niet bij. Als het zo eens uitkomt dat het voor mij belangrijk is dat hij er wel is, dan komt hij ook en dan doet hij zijn best en is heel aardig. Het werkt prima zo, al moet ik wel toegeven dat het een heel proces was. De verwachtingen van de mensen om je heen zijn vaak anders dan je van tevoren vermoedt.'

Oefening

Teken een golfkringsysteem, een groep concentrische golven. Noteer in deze kringen de activiteiten, interesses en eigenschappen die horen bij je 'substantie'. Wat zijn de dingen die je niet kunt opgeven zonder een deel van jezelf te verliezen?

Het is verbijsterend maar waar: niet alleen in de liefdesroes, maar vooral in de o-had-ik-maar-een-liefdesroes-toestand stellen vrouwen bereid te zijn deze substantiële dingen van hun wezen op te offeren. Daarvoor in de plaats vragen ze dat de partner toelaat dat zij een beetje snoeien in zijn substantie.

Leg dus je golflijnen vast en roep alles wat je hebt genoteerd uit als onaantastbaar.

Breid nu je golfkringen in gedachten uit. Welke richting moeten ze kiezen? Een goede relatie verstoort die richting niet, maar zorgt vooral voor een 'frisse wind' en extra energie.

Dus je wilt nabijheid, intimiteit en extatische versmelting beleven? Da's geen probleem, dat willen we allemaal. Maar kies wel het juiste type man. Wat moet je de hele volgende dag anders beginnen als het object van je versmelting fluitend naar de zaak is vertrokken?

Mannen hebben er meestal minder moeite mee hun contouren en richting te bewaren. Dat traject krijgen ze vanaf hun geboorte ingeprent. En zodra ze ter wereld komen, kunnen ze al terugblikken op een lange rij voorvaderen die dezelfde lijn volgden. Een man gaat zijn eigen weg en als hij daar zin in heeft, mogen op een goed moment vrouw en kinderen meeliften.

Voor vrouwen ligt het veel moeilijker, omdat ze er niet aan zijn gewend hun eigen ik vast te houden: ze volgen een ander, noodlottig patroon.

Neem nu Lena. Alles was lekker in beweging totdat ze een verkeerd pad koos. Ze had weliswaar niet veel meekregen van huis uit, maar ambitieus was ze wel en ook bijdehand. Haar vader was alcoholist, haar moeder was jong overleden en ze moest al vanaf haar zestiende voor zichzelf zorgen. Dat ze het desondanks tot secretaresse schopte, vond iedereen al prachtig, maar Lena wilde meer. Ze wist alleen niet precies hoe en wat. Maar het toeval hielp een handje mee. En dat toeval bestond erin dat ze uit pure frustratie over een onuitstaanbare chef te veel ging eten, heel wat kilo's aankwam en op een goede dag naar de 'Weight Watchers' ging.

'Het principe van die groep is dat je op grond van het succes dat je zelf boekt, optreedt als motivator, de boel eigenlijk animeert en een groep gaat leiden, omdat jouw voorbeeld de beste motivatie is voor anderen. Zo raakte ik eigenlijk voor het eerst betrokken bij het voedingsgebeuren. Ik heb daarna cursussen gevolgd en ging als assistent-diëtiste in een ziekenhuis werken. Inmiddels werk ik voor een groot levensmiddelenconcern waar ik verantwoordelijk ben voor producttests en voor het opstellen van consumentprofielen. Echt een interessante baan. Als je je bedenkt dat ik met niets ben begonnen – ik was echt een *nobody*, zonder behoorlijk opleiding, zonder achtergrond, zonder leuke jeugd. En nu rij ik in een Range Rover, kan me dure kleren veroorloven, ik zie er goed uit – dat zegt men tenminste – ben sportief, doe vier keer per week aan gewichtheffen. Toch niet slecht, vind ik.'

Beroep, vrienden, hobby's – prima allemaal. Maar één ding ontbrak: de liefde. Al dacht Lena even de ware te hebben gevonden in de persoon van Friedrich. Friedrich was gescheiden. Al jaren, en dat deed bij Lena de hoop rijzen dat hij wel zo een beetje het verleden te boven was gekomen, had geleerd van zijn fouten en straks rijp zou zijn voor een nieuw bestaan. Maar daar kwam niets van terecht, waarom is hier niet zo relevant. Eén ding onthouden we wel uit de periode van die eerste serieuze relatie: we zien dan al hoe een fatale neiging van Lena de kop opsteekt. Ze vergeet haar golfkring en wil in plaats daarvan krampachtig de harmonische versmelting bereiken.

Dat blijkt al uit een kleine voorbeeld met gekibbel over geld. Lena en Friedrich hadden het nog niet eens gehad over trouwen en woonden eigenlijk ook niet echt samen. Hoewel ze theoretisch in het huis van Friedrich hadden kunnen wonen, 'hokten' ze feitelijk in het eenkamerappartement van Lena. Er bestonden totaal geen onderlinge verplichtingen. Misschien was juist dat wel de reden dat Lena wilde aansturen op een financiële versmelting.

'Wij woonden samen en je zou dus kunnen spreken van een vrij permanente situatie. Toch ging ons geld niet in één pot. Ik vraag me nu af waarom ik dat eigenlijk wilde, want uiteindelijk verdiende ik veel meer dan hij. Als we alles zouden hebben gedeeld, was ik er zelf nogal op achteruit gegaan.'

Een of ander duiveltje bewoog Lena ertoe een wederzijdse verplichting tussen haar en Friedrich, een verweving, te creëren. Om desnoods een *commitment* aan te gaan die haar objectief gezien geen baat, maar vooral nadeel opleverde. Veel vrouwen lijken kennis te maken met dat verleidelijke versmeltingsduiveltje.

Dat was echter nog maar het begin van Lena's dwaalspoor. Friedrich bedroog haar met een collega. Als revanche en om zich te troosten, stortte ook Lena zich in een affaire met een uiterlijk zeer indrukwekkende man, een 'publieke persoon', wiens naam hier niet terzake doet. Laten we hem maar Jörg noemen. Jörg is dus belangrijk, bekend, aantrekkelijk en… getrouwd.

Lena vertelt:

'Die relatie is nu drie maanden aan de gang en ik ben er helemaal op gefixeerd. Ik vind Jörg een fantastische vent: hij is een kei in wat hij doet en heeft dan ook enorm veel succes. Maar dat is meteen ook de complicerende factor. Wat in het begin zo aantrekkelijk was, zijn resolute optreden, altijd precies weten hoe de vork in de steel zit – zijn agenda wordt bijgehouden door een secretaresse en voor langere afstanden heeft hij een chauffeur zodat hij in alle rust stukken kan doornemen – vond ik in het begin allemaal prachtig, maar nu werkt het tegen me. Omdat al het andere belangrijker is dan ik. En ik rivaliseer deze keer helaas niet alleen met de herinnering aan een ex, maar met zijn huidige echtgenote, en daarbij moet ik ook nog de concurrentie aan met zijn agenda.'

Bedwelmend liefdesgeluk? Dat ziet er toch een beetje anders uit.

'Ik ben eigenlijk ten einde raad, want ik heb geen idee hoe ik hier uit moet komen. Ik voel me soms behandeld als oud vuil, als iemand die maar een beetje staat te wachten. Jörg is al jaren getrouwd en zegt dat hij en zijn vrouw een perfect team vormen. Als hij dat zo zegt, denk ik dat ik gek word. Hij probeert me uit te leggen dat hun relatie puur pragmatisch van aard is. Ze steunt hem bij zijn werk, hij heeft veel aan haar te danken, en bovendien kan hij zich in zijn prominente openbare positie geen schandaal met aansluitend een scheiding veroorloven. Op seksueel vlak, zegt hij, zouden ze al lange tijd niets meer met elkaar te maken hebben. Hun relatie heeft geen emotionele lading meer en hij zegt zich niet te kunnen voorstellen, na die mooie maanden met mij, ooit nog op *zo een* manier met zijn vrouw te kunnen samenleven.

Ik vind het allemaal ook prachtig met hem. Hij is ongelofelijk welsprekend, maar ook heel broos en kwetsbaar. Dat aspect van zijn persoon toont hij alleen aan mij, en dat is vleiend, echt een bewijs van vertrouwen. Hij geniet er ontzettend van dat ik me mooi aankleed voor hem en dat ik met mijn outfit te kennen geef dat ik ons samenzijn als iets bijzonders beschouw en dat ik er altijd een feestje van maak. Hoewel het afscheid daardoor alleen maar moeilijker wordt.'

Er is al een vrouw – zijn echtgenote – die deze man heeft ingepalmd. Die vrouw helpt hem vooruit te komen. Daardoor weet zij zich van haar plaats in zijn leven verzekerd – wat dat betreft gaat de redenering van vrouwen wel op: ze kunnen zich verankeren in het leven van een man als ze hem 'tot nut' zijn. Maar wat voor plek is dat eigenlijk? Deze man spreekt over zijn vrouw en zichzelf als over een 'perfect team'. Maar het is een team dat volgens *zijn* regels *zijn* spel speelt.

Lena vertelt verder:

'Wat me nu grote zorgen baart en zelfs slapeloze nachten bezorgt, is het feit dat mijn werk in het gedrang komt. Ik heb de indruk dat ik er op de zaak mijn hoofd maar half bij heb. Soms denk ik dat ik in mijn leven al zo veel heb gewerkt en nu wel eens een beetje wil genieten van hetgeen ik heb verworven. Hij zit boordevol warmte en aandacht voor mij en komt altijd met de origineelste cadeaus op de proppen. Dat ik zo een vurige liefde mag beleven, is voor mij iets heel moois, maar toch hink ik voortdurend op twee gedachten. Enerzijds denk ik dat ik nu het beste van alle werelden krijg: terwijl hij het routineleven deelt met zijn vrouw, brengt hij de meest opwindende en gepassioneerde uren door met mij. Alle mooie dingen in het leven beleeft hij met mij.

Maar als ik down ben, vraag ik me af of dat wel zo is, of mijn kijk op de zaak niet totaal verschoven is. Zo gaat het tenminste al maanden en ik geef toe: natuurlijk leef ik innerlijk naar het moment toe waarop die partner, die nog altijd bij zijn vrouw is, uiteindelijk toch voor mij kiest. Ik fantaseer over het ogenblik waarop hij merkt dat ik zijn toekomst ben. Maar ik ben er steeds minder zeker van of dat ooit zal gebeuren. Hij beweert dat zijn vrouw inmiddels op de hoogte is. Hij heeft altijd vriendinnen gehad en zij schijnt dat op een of andere manier te aanvaarden. Hij zegt dat het met mij voor het eerst anders en menens is; hij wil van haar een soort 'toestemming' zodat hij officieel met mij kan omgaan. Als beloning voor het feit dat zij het accepteert en hem als het ware een alibi geeft, krijgt zij de garantie dat hij haar niet zal verlaten. Eigenlijk wacht

Liefde is fysica

ik de hele tijd op het moment dat zijn vrouw bij mij voor de deur staat. Ik had dat al lang gedaan in haar plaats.'

Lena lijkt heel goed in te zien dat ze niet in deze situatie is beland omdat de liefde haar heeft overweldigd, maar omdat ze maniakaal vasthoudt aan een idee:

'Ik heb nu een punt bereikt waarvan ik als meisje alleen maar kon dromen. Ik heb een te gekke, hartstochtelijke man gevonden die me laat zien dat hij van me houdt. Anderzijds heb ik het onontkoombare gevoel dat er principieel iets niet in de haak is.'

Het is die meisjesdroom, waar Lena zelf terecht op wijst, die haar ertoe heeft gebracht haar eigen contouren en richting op te geven ten gunste van een kortstondig gevoel van harmonie.

Lena ziet ook in dat ze op het punt staat het vuur te verliezen, niet op erotisch vlak, maar omdat ze voortdurend bang is.

'Misschien heeft het ermee te maken dat hij zo een vooraanstaande positie bekleedt; hij heeft dat typische aura van gezag om zich heen. Hij vindt het schitterend om een beetje te stoeien met mij, maar zodra alles weer normaal is – als we weer aangekleed aan tafel zitten, zeg maar – dan is hij een persoonlijkheid en ik niet. Dan is er opeens iets heel verkrampts tussen ons en is alle intimiteit op slag weg.

De relatie met Friedrich was veel gelijkwaardiger: we hebben flink geruzied, veel met elkaar gewerkt en lang over dingen doorgepraat. In deze situatie zou mijn minnaar daar niks voor voelen. Hij zou het als tijdverspilling beschouwen. Als ik wakker lig, maken soms lelijke gedachten zich van me meester. Dan heb ik het idee dat ik voor hem slechts een beperkte functie vervul, die hij van alles gescheiden houdt in een klein doosje dat hij kan opendoen wanneer het hem uitkomt en kan afsluiten als hij een afspraak heeft.

Ik ben zelfs begonnen bij te houden hoeveel tijd we met elkaar doorbrengen. Want in mijn optiek was het zo dat onze tijd samen voor mij zo een beetje mijn "eigenlijke leven" vormde. Toen besefte ik dat mijn "eigenlijke leven" zich beperkte tot vijf of zes uur per week. Daarvoor moet ik behoorlijk wat rondreizen om hem in hotels te ontmoeten en dan is hij vaak nog met zijn gedachten ergens anders ook. In plaats van me dan goed te voelen, ben ik alleen maar bang, omdat ik inzie dat het me na die maanden nog altijd niet lukt een vaste plaats in zijn leven te veroveren.'

De enige echt vaste plek heb je alleen in je eigen leven. Veel vrouwen willen dat niet inzien. Ze zoeken zekerheid als aanhangsel van een mannenleven. Hoe riskant en onlogisch dat is, zien we wel aan Lena's voorbeeld. De man op wie ze haar verdere leven zou willen baseren en voor wie ze haar moeizaam opgebouwde positie op het spel zet, heeft haar onomwonden gezegd dat hij nooit van zijn vrouw zal scheiden. Van een 'ruimere plek in zijn leven' kan geen sprake zijn.

Even voor de duidelijkheid: wij zijn niet dol op buitenechtelijke relaties. Maar als er dan tóch sprake van is, dan moet er toch tenminste sprake zijn van symmetrie. Laten we even aannemen dat het verhaal van Jörg klopt. Zijn vrouw en hij zijn uit elkaar gegroeid, maar ze hebben afgesproken dat ze uit praktische overwegingen bij elkaar blijven. Ze hebben samen geen seksleven meer en bieden elkaar de ruimte om op dat vlak elders aan hun gerief te komen. Jörg is politicus, dus vermoedelijk is deze voorstelling van zaken net zo waar als al die andere dingen die we van politici horen, maar laten we er even van uitgaan dat het klopt.

Dan zouden Jörg en Lena eigenlijk in een heel vergelijkbare, heel symmetrische positie verkeren. Beiden hebben een drukke baan, een vol sociaal leven en weinig vrije tijd. Lena verdient goed en hoeft niet te worden 'onderhouden'. In een leven dat voor de rest goedgevuld en succesvol is, kampen beiden met hetzelfde manco: ze missen de sensatie van een opwindend liefdeleven. Maar hoe verschillend zijn hun reacties als ze die tekortkoming bij en met elkaar kunnen compenseren! Jörg gaat gewoon zijns weegs. Hij komt zijn zakelijke afspraken netjes na, neemt onderweg in zijn limousine stukken door, blijft aandacht besteden aan zijn interesses. En als het hem uitkomt, spreekt hij af met Lena. Lena zou hetzelfde kunnen doen. Ook zij zou die affaire in een 'doosje' kunnen stoppen en het deksel er afhalen als het haar uitkomt.

Maar Lena heeft grote moeite met het feit dat deze romance een voetnoot is die in een apart doosje hoort. Ze zet alles op alles en wijdt zich helemaal aan haar 'eigenlijke leven'. Hoe verkeerd en disproportioneel dat is, blijkt wel uit haar eigen berekeningen: vijf, zes uur per week kunnen niet een 'eigenlijke leven' zijn. We vinden het triest om toe te geven, maar de instelling van Jörg is adequater. Lena zou er goed aan doen om na zo een hartstochtelijk treffen – wanneer ze weer 'aangekleed aan tafel zit' – haar werkelijke wezen terug te vinden, haar golfbeweging los te maken uit de zijne, zodat haar kring weer zijn eigen weg kan gaan. Want wat heeft ze nu helemaal? Een relatie zonder toekomstperspectief, een bedreigde carrière, twijfels over zichzelf, slapeloze nachten en stress. En dat allemaal voor vijf of zes min of meer leuke uren.

Oefening

Wij maken een onderscheid tussen echte krachtbronnen die ons geluk en onze golfbeweging echte dynamiek geven, en fantasiebeelden die onze golf op een dwaalspoor brengen.

Bij Lena zou het lijstje er dan zo uitzien:

Echte krachtbronnen
- toffe baan waaraan ze plezier beleeft
- goed inkomen
- leuke vriendenkring
- sportieve instelling
- aantrekkelijk uiterlijk
- veel wilskracht

Fantasiebeelden
- De gedachte dat haar getrouwde geliefde die altijd beslist te kennen geeft bij zijn vrouw te zullen blijven, plotseling van mening zal veranderen
- De gedachte dat die dierbare, schaarse momenten van passie haar 'eigenlijke leven' uitmaken

Het interessantste aan deze lijst is dat niet de objectieve hindernissen, maar Lena's eigen fantasie haar noodlottig worden.

En dat is volgens ons helaas typisch voor vrouwen. Van doorslaggevend belang is de intentie, het plan.

Om dat punt te onderbouwen, kijken we nog eventjes naar Tessa, die een heel ander traject volgt en die het dan ook een stuk beter vergaat dan Lena.

De uitgangsposities van beide vrouwen lijken wel wat op elkaar. Ook Tessa moest zich onder moeilijk omstandigheden opwerken, en ook Tessa slaagde erin door energie, durf en hard werken een goede professionele positie op te bouwen. Tessa ervaart dat ze ondanks haar overvolle agenda, leuke vrienden en boeiende hobby's hetzelfde mist als Lena. 'Dat je houdt van je werk, wil niet zeggen dat je werk ook van jou houdt', zegt ze. Ze wil een partner en op een goede dag ook kinderen. Het eerste grote verschil met Lena is dat Tessa dat ontbrekende deel niet beschouwt als haar 'eigenlijke leven'. Het zou niet bij haar opkomen om haar feitelijke, dagelijkse leven niet te zien als haar eigenlijke leven. In haar eigenlijke leven ontbreekt gewoon iets en dat wil ze ooit óók hebben.

Net als Lena had ook Tessa een gestrande relatie achter de rug. Maar het vervelende einde van die verhouding leidde er niet toe dat zij wraak wilde nemen. Ze had ook geen behoefte aan troost. Maar Tessa analyseerde het probleem. Probeerde erachter te komen waarom de zaak was misgelopen en kwam vervolgens met een interessante gevolgtrekking. Wat deze aanvankelijk hoopvolle relatie de das had omgedaan, was volgens haar het ontbreken van een plan.

'Liefde zonder plan is tegenwoordig ondenkbaar', dat weet Tessa zeker. 'Je hebt toch voor alles een plan nodig. Voor alles heb je vergunningen of kredieten nodig, maar als het om een relatie gaat, klungelt iedereen maar wat aan. Wat dat betreft zijn we allemaal amateurs.'

Je hebt er geen idee van hoe vaak wij in gesprekken met vrouwen bij het onderwerp 'kinderen krijgen' het begrip 'planning' hebben laten vallen, dat door deze vrouwen vervolgens resoluut van de hand wordt gewezen. Vrouwen betreden het ouderschap slaapwandelend. Dat werkgevers vrouwen discrimineren omdat ze denken dat die vrouwen op een dag kinderen zullen krijgen en dan uitvallen, is onbehoorlijk. Maar eerlijk gezegd kunnen wij het wel begrijpen wanneer werkgevers zo hun bedenkingen hebben ten aanzien van een bevolkingsgroep die kennelijk niet in staat is belangrijke veranderingen in het leven te *plannen*. Dat verwijt kunnen we Tessa in elk geval niet maken. Met haar huidige vriend Dieter heeft ze heel precieze afspraken over het dagelijkse reilen en zeilen: 'Ons huishouden is waanzinnig goed, heel strak georganiseerd, dat heb ik geleerd van mijn moeder, die een drukke baan als advocate had. Het ziet ernaar uit dat de relatie tussen Dieter en mij een duurzame wordt. Wij zijn nu aan het bespreken of we kinderen willen of niet, iets dat ikzelf heel graag zou willen. Ik denk dat hij absoluut een goede vader zal zijn en reken maar dat we duidelijk zullen vastleggen wie wat gaat doen. Het spreekt vanzelf dat het niet mogelijk is dat we zoals nu allebei veertien uur per dag werken.'

Tessa werkt bij een reclamebureau, Dieter voor een bank. Ze bekleden vergelijkbare posities, wat Tessa als een groot voordeel beschouwt: 'Ik ken veel vrouwen die het super vinden dat hun man succesvol is, in de politiek of in het bedrijfsleven bijvoorbeeld. Ze hebben zelf gestudeerd, hebben ook een baan, maar als partner willen ze altijd iemand die echt te gek is, een paar jaartjes ouder is dan zijzelf en beroepshalve al een stukje verder op weg. Dan zijn ze ongelofelijk trots. Maar in wezen zijn zij dan het "vrouwtje", het aanhangsel. Op een receptie zijn ze mevrouw Zus-en-zo. Nou, zo een rol ambieer ik niet en Dieter weet dat ook. Het lijkt me absoluut geen goed streven, als we een kind zouden krijgen, dat ik bijvoorbeeld thuis zou blijven en hij een glanzende carrière zou opbouwen. Dat vrouwen meegaan met dat scenario en het zelfs prima vinden, daar kan ik met mijn verstand niet bij.'

Is het misschien oververmoeidheid die vrouwen ertoe drijft om naast manlief vervroegd met pensioen te gaan? Tessa geeft toe dat er sprake is van veel stress in haar leven. 'Het werk in een reclamebureau is zo nu en dan slopend, maar dat geldt niet alleen voor vrouwen.'

'Zekerheid is er al lang niet meer, ook niet voor mannen. Als ik in het zakelijke verkeer zo eens om me heen kijk, kan elke dag bij een bedrijf je laatste zijn. Dat maakt misschien dat vrouwen soms verlangen naar een sterke schouder. Maar dat gevecht om professioneel te overleven, geldt voor mannen evengoed. Mannen zitten met precies dezelfde stress en zoeken ter compensatie daarvan geborgenheid bij een vrouw. Dat wil voor hen zeggen: liefst geen kritiek maar bemoedigende woorden.'

Tessa is gewonnen voor het concept waarbij de partners elkaar in de privé-sfeer steun geven en waarbij ieder van beiden zich aanpast aan het ouderschap, zodat beide partners kunnen blijven werken aan hun loopbaan.

'Ik verwacht van Dieter dat hij als vader van meet af aan betrokken is bij de opvoeding. Het lijkt me mooi als we allebei een dag per week vrij nemen totdat het kindje naar de kleuterschool gaat. Dan zou ik bijvoorbeeld op vrijdag thuisblijven en hij op maandag, zodat het kind vier dagen per week met minstens één ouder opgroeit en maar drie dagen hoeft te worden toevertrouwd aan opvang door vreemden. Dan zouden we beiden een vierdaagse werkweek hebben en als de nood aan de man komt, kunnen we er nog altijd op toerbeurt tussenuit knijpen met de laptop. Ons bureau zou daar best tegen opgewassen zijn.

Het zou wel lastiger worden als Dieter een plaats in de directie kreeg. Dan zit hij immers met verplichtingen die hij niet zelf kan sturen, dan moet hij plotseling en voor langere tijd op reis. Werd mij zo een baan aangeboden, dan zou ik die niet aannemen omdat iedereen weet waar dat toe leidt.

Dieter en ik hebben het er al uitvoerig over gehad en hij vindt de oplossing met die ene vrije dag per week best realistisch. Ik was eigenlijk verbaasd dat we daar maar één gesprek voor nodig hadden. Ik had er een beetje op gerekend dat ik hem echt zou moeten overtuigen. Dat hij voor dat idee is te porren, laat ook zien dat hij ernaar verlangt om andere aspecten van het leven te verkennen, dat hij niet alleen voor de bank bestaat.'

Tessa geeft blijk van een heel ander 'fantasiebeeld', dat veel beter strookt met de realiteit.

Het is van essentieel belang om bij het plannen van je leven duidelijk voor ogen te hebben wat je wilt en hoe je het gaat aanpakken, al kun je de precieze details nooit voorzien. Wanneer ontmoet je 'de ware', bijvoorbeeld? Misschien doet zich opeens een ideale carrièrekans voor… Het leven is vol verrassingen, toevallige elementen en vreemde wendingen. Maar het patroon dat je ambieert, verandert niet gauw.

Er zijn natuurkundige processen die ogenschijnlijk willekeurig verlopen, hoewel ze volgens de wetten van de klassieke fysica berekenbaar zijn. Bij deze systemen leiden de geringste veranderingen in de aanvankelijke omstandigheden, en ook minimale verstoringen, tot grote afwijkingen qua gedrag. Hoewel ze in principe streng bepaald zijn, manifesteren ze een toevallig, chaotisch gedrag.

Deze zin beschrijft precies het dilemma van relaties tussen twee partners. Uit het echtscheidingspercentage van soms meer dan 50 procent blijkt wel hoeveel onvoorziene verstoringen zich kunnen voordoen die de verhouding tussen twee, ooit dolverliefde mensen doen ontsporen in chaos. Zulke vernietigende gebeurtenissen zijn niet te verhinderen. Maar je kunt wel het systeem kiezen waarbinnen je je leven wilt leiden, een systeem waarvan de wetmatigheden voor jou opgaan.

Een man zoeken, zich aan hem vastklampen en je voegen naar zijn plannen? Dan zit je in het systeem van de harmonische, elkaar overlappende golfbewegingen. Hun wet beoogt niets minder dan jouw opheffing.

Eigen contouren hebben, een eigen levenspad volgen en een relatie aangaan waarin beide partners elkaar in hun waarde laten, elkaar stimuleren in persoonlijke doelen? Dan ben je in het systeem van de golvenkring, en daar zit je goed, zoals we hebben gezien.

Los jezelf niet op. Streef naar ongestoorde interferentie en hou jezelf intact.

De citaten in dit boek zijn ontleend aan:
Joachim Grehn & Joachim Krause, *Metzler fysica.*
Für die gymnasiale Oberstufe, Hannover, Schroedel, 3de editie, 1998;
Dorn/Bader fysica – Sekundarstufe II. Allgemeine Ausgabe.
Schülerband MS, Hannover, Schroedel, 1995;
Gerd Boysen je.a, *Fysica für Gymnasien. Länderausgabe A.*
Gesamtband, Berlin, Cornelsen.

Voor de Nederlandse editie is gebruik gemaakt van:
drs. J.W. Middelink e.a.,
Systematische Natuurkunde kernboek N1 vwo 1 tweede fase,
Nijgh *Versluys*, Baarn, 1998.
Werkgroep o.l.v. Herman De Laender,
Proefondervindelijke Natuurkunde 4, 1992;
Proefondervindelijke Natuurkunde 5, 1993;
Proefondervindelijke Natuurkunde 6, 1994, De Garve, Brugge.

Meer lezen over relaties

Gebonden: ISBN 90 209 3524 0 (€ 17,50)
Paperback: ISBN 90 209 3523 2 (€ 12,95)

ISBN 90 209 2623 3
€ 12,95

ISBN 90 209 3888 6

€ 14,95

ISBN 90 209 2827 9

€ 19,95

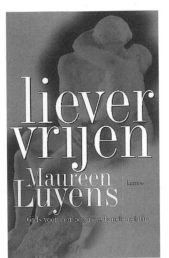

ISBN 90 209 3230 6
€ 14,95

ISBN 90 209 3306 x
€ 22,50

ISBN 90 209 3105 9

€ 14,95

ISBN 90 209 4455 x

€ 16,95